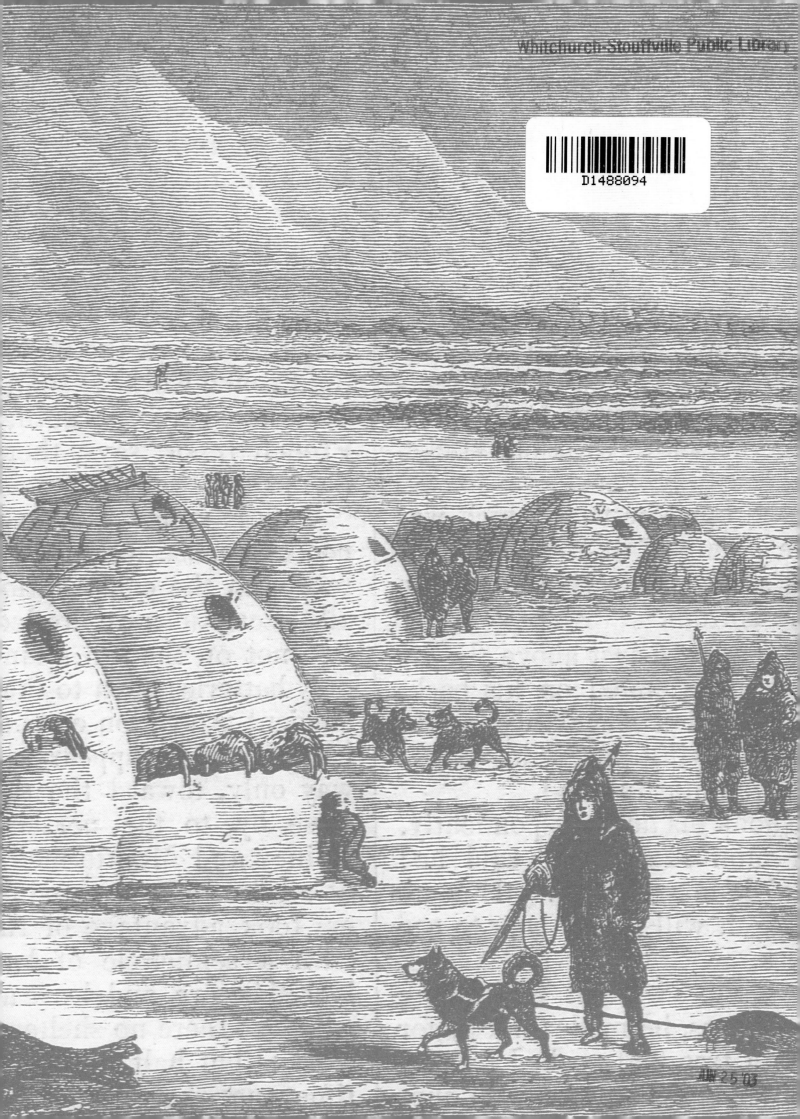

Vivre Comme ...
LES
INUITS

Jen Green

De La Martinière
jeunesse

Traduction et adaptation
Edith Ochs et Bernard Nantet

Edition originale publiée en 2000
Par Lorenz Books
© Anness Publishing 2000

Pour l'édition française :
© 2001, De La Martinière Jeunesse
(Paris, France)
Dépôt légal : avril 2001
ISBN : 2-7324-2713-6
Imprimé à Singapour

SOMMAIRE

UNE HISTOIRE ANCIENNE

L'Arctique est l'une des régions les plus sauvages et les plus impitoyables du monde. Les hivers sont longs, sans lumière et terriblement froids. La plupart du temps, une épaisse couche de glace et de neige recouvre la région. Maintenant, on peut y vivre grâce aux dernières technologies : maisons isolées, scooters des neiges et vêtements en fibres synthétiques.

Mais les habitants de l'Arctique ont dû vivre dans ce monde glacé pendant des milliers d'années.

Ils utilisaient les maigres ressources que leur offrait la nature environnante. La chair des animaux constituait leur nourriture. Ils confectionnaient leurs vêtements et leurs abris avec des peaux et fabriquaient des outils et des armes avec des os. Comme ils n'ont pas laissé de témoignages écrits, les archéologues tentent de reconstituer leur histoire grâce à des outils et à des vestiges d'habitations anciennes. Aujourd'hui, leurs descendants perpétuent certaines des coutumes traditionnelles de l'Arctique.

PORTRAITS ANCIENS

Cette représentation de trois chasseurs a été réalisée au XIXᵉ siècle par l'un des premiers explorateurs européens de l'Arctique. Les dessins, les objets et les témoignages rapportés par les voyageurs sont une source d'information sur l'histoire de la région.

UN SAVOIR-FAIRE TRADITIONNEL

Une jeune fille de Sibérie attendrit une peau de renne selon une méthode employée par ses ancêtres pendant des milliers d'années. Le genre de vie des peuples de l'Arctique était si bien adapté à leurs conditions d'existence qu'il a peu évolué au fil des générations.

CHRONOLOGIE 10000 AV. J.-C. -1600

Les hommes vivent dans l'Arctique depuis des milliers d'années. Les dates données ci-dessous sont approximatives à cause de la longueur de cette période et du manque d'informations écrites.

10000 av. J.-C. Des groupes de nomades chassant le renne vivent en Sibérie et en Scandinavie.

10000 av. J.-C. Pendant le dernier âge glaciaire, qui a fait baisser le niveau de la mer, des nomades venus de Sibérie traversent le détroit de Béring, alors à sec, et prennent pied en Amérique du Nord.

Petit harpon utilisé pour chasser les mammifères marins

De 3000 av. J.-C. à 1000 av. J.-C. Une peuplade utilisant de petits outils et vivant sur les bords du détroit de Béring s'établit au Canada et au Groenland. Ces hommes utilisent des aiguilles pour coudre leurs vêtements et des harpons pour chasser.

De 1000 av. J.-C. à 1000 apr. J.-C. Des nomades appartenant à la civilisation de Dorset peuplent l'Arctique. Ils utilisent des *kayaks* pour chasser les mammifères marins tels les phoques et les morses. Ils nomadisent pendant les mois d'été, se déplacent en petits groupes et vivent sous des tentes en peau.

Chasseur de la culture de Dorset dans son kayak

10000 av. J.-C.

5000 av. J.-C.

1000 av. J.-C.

SITES ANCIENS

Des archéologues mettent au jour une maison préhistorique dans le Grand Nord du Canada. Les fouilles de ce site ont révélé des outils, des armes et beaucoup d'autres objets. Elles ont permis aux archéologues de se faire une idée du genre de vie des anciennes populations locales.

ARMES ET OUTILS

Cette pointe de harpon a été sculptée dans une défense de morse. Les peuples de l'Arctique étaient des artisans expérimentés. De nombreuses armes et bien des outils ont été taillés dans des os d'animaux.

LE SENS DE L'HOSPITALITÉ

Ces enfants sont prêts à participer à un repas traditionnel d'oiseaux de mer préparé selon une recette ancestrale. Les fêtes et les festins sont l'occasion de préserver les traditions pour la plus grande joie des jeunes générations.

UN MONDE DE GLACE

L'Arctique se trouve au nord de notre planète. Il est limité par le cercle polaire arctique, une ligne imaginaire qui entoure la Terre à 66 degrés de latitude nord. La plus grande partie de l'Arctique est constituée par un vaste océan gelé, entouré par la plupart des côtes septentrionales de l'Europe, de l'Asie, de l'Amérique et du Groenland. Au-delà du cercle polaire, il y a au moins un jour de l'année où le soleil brille toute la journée et toute la nuit, et un jour où il ne se lève pas du tout.

Couteau de type Dorset

De l'an I à l'an 1000 En hiver, ils habitent dans des maisons communes en blocs de glace. Ils creusent des trous dans la glace et utilisent des couteaux et des bâtons pour tuer les phoques. Pendant la dernière période de Dorset, ils fabriquent de beaux objets magiques et des masques en bois. Le climat, qui se réchauffe peu après l'an 1000, marque la disparition de cette civilisation.

1000

983 Erik le Rouge fonde une colonie au Groenland.

Colonie viking au Groenland

De 1000 à 1600 Une nouvelle population – la culture de Thulé – a remplacé celle de Dorset. Les gens habitent dans des huttes de pierre couvertes de tourbe et chassent la baleine franche, les rennes et les bœufs musqués.

1500

1570 Les navigateurs européens commencent à explorer les côtes de l'Arctique canadien et sibérien. Ils sont à la recherche d'huile de baleine, de fourrures et de richesses, et tentent de trouver un passage maritime vers l'Asie.

La culture de Thulé est prospère jusqu'en 1600

1600

LE MONDE ARCTIQUE

Le monde glacé de l'Arctique porte la trace de civilisations très anciennes. Les archéologues ont trouvé des armes et des outils vieux d'au moins vingt mille ans. À l'époque préhistorique, l'Arctique russe et scandinave est habité par des nomades. Ils suivent les migrations des troupeaux de rennes et chassent les animaux pour leur viande et leur fourrure. Pendant le dernier âge glaciaire, il y a douze mille ans, quelques-uns d'entre eux, partis d'Asie, arrivent en Amérique du Nord. Certains s'installent au nord du cercle polaire, d'autres poursuivent leur route vers les régions plus chaudes du sud.

Vers 3000 av. J.-C., un groupe fabriquant de petits outils s'établit sur les côtes de l'Alaska. Ils sculptent des armes et de magnifiques outils dans des os et des dents d'animaux. Ils fabriquent des lances pour chasser et des aiguilles pour coudre les peaux d'animaux afin de se protéger du froid. Vers 1000 av. J.-C., le « peuple du Dorset » commence à dominer la région. Ces hommes sillonnent les côtes dans des canoës, chassent le phoque et le morse. Deux mille ans plus tard, à Thulé, un autre peuple construit des maisons de pierre couvertes de tourbe. Il utilise des traîneaux tirés par des chiens et chasse les grandes baleines franches. Les premiers Européens à entrer en contact avec les peuples de l'Arctique sont les Vikings en 983. À partir de la fin du XVe siècle, les Européens arrivent plus nombreux. Mais, pour les populations de l'Arctique, la vie ne change vraiment qu'à partir de 1800.

Maximum des glaces en

Campement nenet

Lapon conduisant des rennes

EUROPE

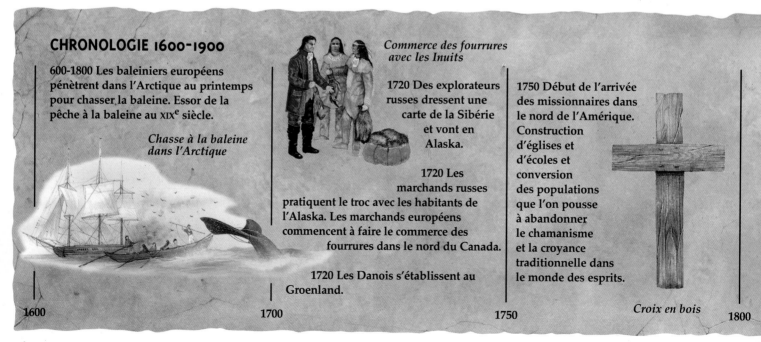

CHRONOLOGIE 1600-1900

600-1800 Les baleiniers européens pénètrent dans l'Arctique au printemps pour chasser la baleine. Essor de la pêche à la baleine au XIXe siècle.

Chasse à la baleine dans l'Arctique

Commerce des fourrures avec les Inuits

1720 Des explorateurs russes dressent une carte de la Sibérie et vont en Alaska.

1720 Les marchands russes pratiquent le troc avec les habitants de l'Alaska. Les marchands européens commencent à faire le commerce des fourrures dans le nord du Canada.

1720 Les Danois s'établissent au Groenland.

1750 Début de l'arrivée des missionnaires dans le nord de l'Amérique. Construction d'églises et d'écoles et conversion des populations que l'on pousse à abandonner le chamanisme et la croyance traditionnelle dans le monde des esprits.

Croix en bois

1600   1700   1750   1800

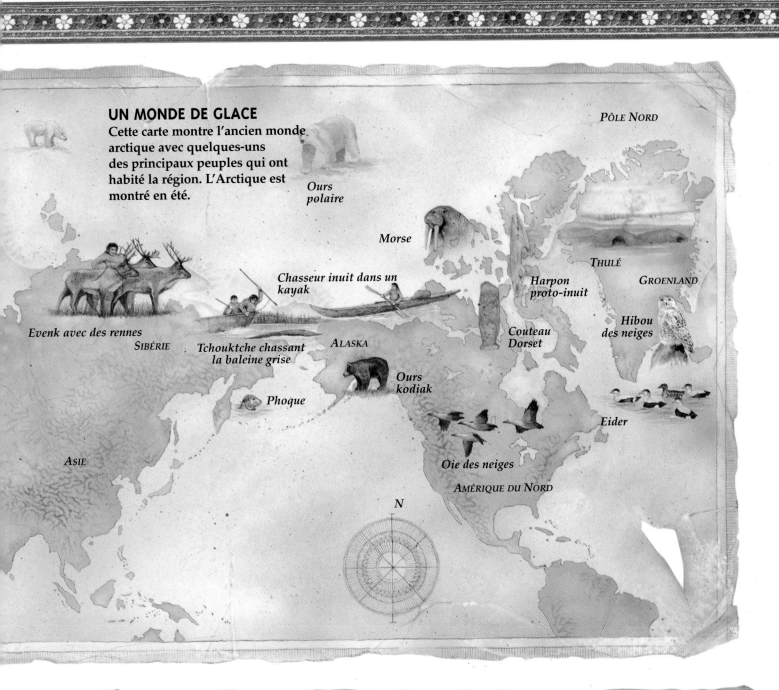

UN MONDE DE GLACE

Cette carte montre l'ancien monde arctique avec quelques-uns des principaux peuples qui ont habité la région. L'Arctique est montré en été.

PÔLE NORD

Ours polaire

Morse

THULÉ

Chasseur inuit dans un kayak

Harpon proto-inuit

GROENLAND

Evenk avec des rennes

SIBÉRIE

Tchouktche chassant la baleine grise

ALASKA

Couteau Dorset

Hibou des neiges

Ours kodiak

Phoque

Eider

Oie des neiges

AMÉRIQUE DU NORD

ASIE

N

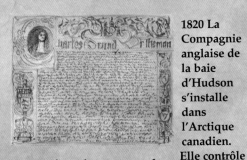

Le certificat de commerce de la baie d'Hudson

1820 La Compagnie anglaise de la baie d'Hudson s'installe dans l'Arctique canadien. Elle contrôle le commerce des fourrures, ainsi qu'une grande partie du nord du Canada. Les populations locales troquent des peaux contre des marchandises européennes comme des fusils.

1867 La Russie vend l'Alaska aux États-Unis.

1870 Déclin de la chasse aux baleines en raison de leur raréfaction.

1880-1890 Ruée vers l'or dans la vallée du Yukon et du Klondike en Alaska. Des émigrants franchissent le cercle polaire. De l'or et du charbon sont découverts en Sibérie.

L'Alaska devient territoire des États-Unis

1900 Conversions massives des populations de l'Arctique par des missionnaires européens. Sous l'influence des pays développés, la vie dans l'Arctique évolue rapidement, et les populations sont soumises aux mêmes lois.

La soif de l'or fut la raison principale de la ruée sur les régions arctiques de Russie et d'Amérique

1850

1900

7

LES PEUPLES DU GRAND NORD

L'Arctique abrite plusieurs groupes de populations qui vivent dans la région depuis des milliers d'années. Chaque groupe a son genre de vie, sa langue et sa culture.

Les Inuits vivent dans la partie la plus septentrionale de l'Amérique du Nord, en Alaska, au Canada, au Groenland et dans une petite partie de l'Asie orientale. Beaucoup suivent encore les traditions de leurs ancêtres. Certains chassent au harpon le phoque, le morse et d'autres animaux marins. Les peuples de l'Arctique européen et asiatique vivent plus au sud. Les Samits, Saames ou Lapons, habitent le nord de la Scandinavie. Ils continuent à élever des troupeaux de rennes pour leur viande mais ont adopté un mode de vie moderne.

Le nord de la Russie abrite une vingtaine de peuples arctiques, comme les Tchouktches, les Evenks, les Nenets et les Iakoutes. Ils chassent aussi comme leurs ancêtres.

TCHOUKTCHE

Un Tchouktche s'appuie sur un ski couvert d'une peau d'élan. Les Tchouktches vivent dans le nord-est de la Sibérie, une partie de la Russie qui jouxte l'Amérique. Ils sont plus proches des Inuits que les autres peuples de la région.

SAMIT

Un Samit norvégien avec son fils. Les Samits sont connus pour leurs vêtements multicolores où dominent les rubans bleus et rouges. Leur ancien nom de « Lapons » est un mot méprisant qui leur a été donné autrefois par les gens du Sud.

CHRONOLOGIE 1900-2000

1909 L'explorateur Robert Peary est le premier Européen à atteindre le pôle Nord en compagnie d'un groupe d'Inuits.

1917 Après la révolution russe, le pouvoir soviétique impose le communisme dans toute l'Union soviétique ainsi qu'en Sibérie.

Robert Peary au pôle Nord

Une station radar dans l'Arctique

1939-1945 Pendant la Seconde Guerre mondiale, des bases militaires sont installées dans l'Arctique

1945-1980 Après la Seconde Guerre mondiale, la guerre froide commence entre l'Union soviétique et les pays occidentaux. Des stations de radars sont construites pour prévenir les attaques de fusées, et des populations s'établissent à proximité.

1968 De riches gisements de pétrole et de gaz sont découverts à Prudhoe Bay, en Alaska. L'exploitation de ces gisements provoque une forte pollution qui touche les troupeaux et le gibier.

Installation pétrolière

1900   1930   1960   1970

EVENK

Un Evenk et sa femme devant leur attelage de rennes domestiqués. Ces animaux de trait sont utilisés pour tirer des traîneaux sur les étendues glacées. Dans le Grand Nord sibérien, les Evenks dépendent des troupeaux de rennes pour leur nourriture, pour leur transport et pour leur habillement.

INUIT

L'haleine de ce chasseur a gelé dans sa barbe. Les Inuits étaient autrefois appelés *Eskimo* ou *Esquimaux*, terme méprisant qui signifie « mangeur de viande crue ». Dans la langue inuite, le mot *Inuit* veut simplement dire « les humains ». Un homme inuit s'appelle un Inuk.

NENET

Cette femme porte un manteau en peau de renne. Les Nenets vivent sur une grande étendue de la Sibérie. Ce sont des nomades qui se déplacent avec leurs troupeaux de rennes à travers les vastes étendues gelées de l'Arctique.

1977 Les Inuits et les autres peuples de l'Arctique tiennent la première Conférence des peuples arctiques. Ils s'organisent, revendiquent leurs territoires traditionnels et un droit de regard sur les affaires les concernant.

1979 Le Danemark accorde l'autonomie interne au Groenland.

Le drapeau national du Groenland

Un oiseau de mer tué par une marée noire

1986 Les nuages radioactifs engendrés par la catastrophe nucléaire de Tchernobyl en Ukraine traversent l'Arctique et se déposent sur les pâturages des rennes des Samits et des autres pasteurs de l'Arctique.

1989 L'échouage du tanker *Exxon Valdez* provoque une pollution des côtes de l'Alaska et tue des milliers d'oiseaux de mer, d'otaries et d'animaux divers.

1990 Le Nunavut, un vaste territoire du nord du Canada, est attribué aux Inuits.

1999 Le Nunavut est finalement cédé aux Inuits.

Un Inuit sur un scooter des neiges

1980

1990

2000

UNE TERRE GLACÉE

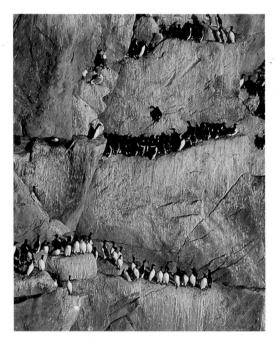

LES VISITEURS DE L'ÉTÉ
Au printemps, des oiseaux comme
ces guillemots arrivent en grand nombre.
Ils nichent sur des falaises, pondent
leurs œufs et élèvent leurs petits.
D'autres oiseaux nichent dans la toundra
et repartent vers le sud quand l'hiver
s'annonce. Les habitants profitent
de l'été pour les chasser.

L'Arctique est l'une des régions les plus froides de
la planète. L'hiver glacé dure de huit à neuf mois par an.
L'été n'apporte qu'un bref répit à ces conditions rigoureuses.
Les régions polaires – l'Arctique dans le nord et l'Antarctique
dans le sud – sont très froides, parce que le soleil ne s'y trouve
jamais à la verticale et reste très bas dans le ciel. De plus,
la glace et la neige maintiennent une basse température,
car elles renvoient la lumière et la chaleur du soleil.
La majeure partie de l'Arctique est un océan couvert
de plaques de glace qui se déplacent. En hiver, la plus grande
partie de l'océan Arctique gèle de nouveau, c'est la banquise.
Toutefois, sa température est moins froide que sur les parties
terrestres. Le Groenland, le plus grand territoire terrestre
proche du pôle, est recouvert par une épaisse couche de glace
toute l'année. Dans le sud, des régions d'Asie, d'Europe
et d'Amérique, situées au-delà du cercle polaire, sont une vaste
toundra dénudée, sans arbres, entourée, encore plus au sud,
par la taïga, une ceinture d'épineux toujours verts.

PAYSAGE GLACÉ
Le village de Moriussaq
dans le nord du
Groenland est couvert
de neige la majeure
partie de l'année.
En été, la température
dépasse rarement 10 °C.
En hiver, elle peut
tomber à – 40 °C.
L'hiver est si intense
dans les régions
arctiques que le sol est
constamment gelé – il
porte alors le nom de
permafrost. Le sol peut
être gelé jusqu'à 600 m
de profondeur
dans les régions
les plus septentrionales.

PLANTES UTILES

Les peuples arctiques ont trouvé diverses manières d'utiliser des plantes de la région. Certaines de ces plantes sont comestibles. Les feuilles de l'oseille arctique et du saule arctique sont riches en vitamines. La saxifrage pourpre donne un onctueux nectar.

Saxifrage pourpre

Saule arctique

Oseille arctique

SOL SPONGIEUX

Pendant le court été arctique, lacs, étangs et ruisseaux couvrent la surface de la toundra sibérienne. En hiver, le sol est toujours gelé. Il dégèle seulement sur une petite épaisseur quand arrive l'été. À la fonte des neiges, l'eau ne peut y pénétrer et reste en surface.

PLANTE DES MARAIS

Au printemps, des plantes comme les saxifrages des marais fleurissent. Les plantes à fleurs se rencontrent même dans l'extrême nord. Beaucoup ont des caractéristiques qui leur permettent de survivre dans ces conditions extrêmes.

SOLEIL DE MINUIT

Le soleil de minuit éclaire la banquise qui couvre l'océan Arctique. Dans l'extrême nord de l'Arctique, le soleil ne se couche pas en été et ne se lève pas en hiver, laissant toutes ces régions dans l'obscurité absolue. La raison est l'inclinaison de la Terre par rapport au Soleil, plus forte en hiver, plus faible en été.

AURORE BORÉALE

L'aurore boréale anime le ciel des Territoires du Nord-Ouest canadien. C'est un étonnant panache de lumières rouge, jaune et vert que l'on voit souvent dans les régions arctiques. Ce type de phénomène est provoqué par des particules issues du soleil qui se transforment en énergie sous forme de lumière au contact de l'atmosphère.

11

SE DÉPLACER AVEC DES RENNES

C es peuples de l'Arctique ont longtemps dépendu d'un animal terrestre : le renne. Ce grand mammifère s'est bien adapté à toutes les régions froides. En Amérique du Nord, où l'espèce porte le nom de « caribou », des troupeaux sauvages se déplacent à la recherche de nourriture. En Europe et en Sibérie, les rennes ont été domestiqués il y a trois mille ans. Autrefois, les Samits, les Nenets, les Tchouktches et les autres peuples dépendaient des rennes pour leur nourriture. Ils se servaient de leurs peaux pour leurs tentes et leurs vêtements. Ils sculptaient des outils et des armes dans leurs os et leurs bois. La plupart des animaux de cette région se déplacent en fonction des saisons. Les rennes ne font pas exception. Au printemps, ils vont vers le nord en direction des rivages de l'océan Arctique pour se nourrir de l'herbe nouvelle de la toundra. En automne, ils reviennent vers le sud pour s'abriter dans les forêts de la taïga. Les Samits et les Nenets se déplaçaient avec leurs rennes pour que les troupeaux n'épuisent pas les pâturages. Ils sont encore quelques-uns à mener cette existence de nomades.

S'OCCUPER D'UN JEUNE RENNE
Un berger samit porte un nouveau-né. Les jeunes rennes naissent en mai et en juin et suivent le troupeau dans sa migration vers les toundras du nord à la recherche d'herbe tendre. Quelques heures après leur naissance, ils sont déjà aptes à se déplacer.

NOURRITURE DE RENNE
La cladonie des rennes est une sorte de lichen. Elle couvre le sol de la forêt, du Labrador au Canada. Principale source de nourriture des rennes, elle se trouve sous la neige en hiver. En été, les rennes ont une grande variété de plantes à leur disposition.

RENNE AU LASSO
Un berger samit utilise une version moderne du lasso pour attraper un renne. Autrefois, les Samits confectionnaient des cordes avec la peau des rennes. Le troupeau d'une famille peut aller de deux cents à mille bêtes. La taille du troupeau donne une idée de la richesse de la famille.

ADAPTATION AU FROID

Un berger tchouktche inspecte son troupeau pendant une tempête de neige. Les rennes sont bien adaptés à la vie rigoureuse de l'Arctique. Ce sont des animaux à sang chaud dont le corps doit conserver la même température. Une épaisse couche de fourrure les isole du froid. Les rennes ont des sortes d'« échangeurs de chaleur » dans leurs museaux pour réchauffer l'air. Ils ont de larges sabots qui leur évitent de s'enfoncer dans la neige.

DERRIÈRE LA CLÔTURE

Un berger samit utilise une longue étoffe pour conduire ses animaux dans un enclos. On conduisait les troupeaux de rennes dans des enclos pour les examiner ou choisir les animaux qui devaient être vendus ou abattus. Le berger vérifie aussi que tous les rennes appartiennent bien à son troupeau.

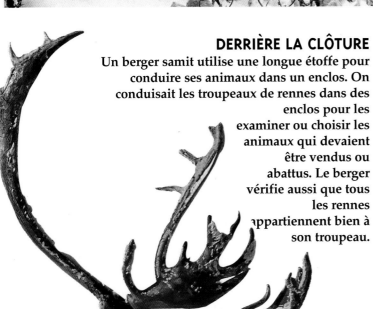

CONDUCTEUR DU TROUPEAU

Traditionnellement, les troupeaux de rennes sont conduits par un mâle domestiqué portant des clochettes.

UN ANIMAL PRÉCIEUX

Le renne est extrêmement utile. Il donne la viande et on boit son lait. La peau de renne sert à fabriquer des vêtements, des lits et des abris. Les os et les bois donnent des harpons, des outils divers et des armes. Les tendons des animaux sont récupérés pour faire du fil.

Lait

Bois

Peau

13

HABITATS ET MAISONS

Les anciens habitants de l'Arctique vivaient dans de petits villages abritant quelques familles. Ces villages contrôlaient un vaste territoire sur lequel ils pouvaient chasser. En hiver, les Inuits, les Samits et les autres populations habitaient dans de solides maisons à demi enterrées pour se protéger, au mieux, du froid glacial qui règne à la surface. En été, ou pendant les déplacements, ils vivaient sous des tentes ou des abris temporaires. En Sibérie et dans d'autres zones de Scandinavie, certains groupes comme les Nenets étaient nomades. Ils habitaient sous des tentes légères, appelées *chums* en Sibérie, faites d'une structure de bois recouverte de peaux d'animaux. Ces *chums* pouvaient résister au blizzard glacé et garder la chaleur malgré le froid implacable.

VIVRE SOUS LA TENTE
Un berger nenet charge un traîneau devant la tente familiale en prévision d'un voyage à travers la Sibérie. Ces tentes étaient commodes, légères et faciles à monter. Les Nenets les utilisent encore de nos jours.

MATÉRIAUX DE CONSTRUCTION
Les ruines d'une habitation en pierre et en ossements de baleine apparaissent sur une colline de Sibérie. Dans les régions côtières, les gens édifiaient leurs maisons avec des os de baleine et le bois flotté trouvé sur le rivage. À l'intérieur, les habitations étaient surtout faites de pierres et de tourbe.

HABITATION ARCTIQUE
Cette illustration présente une habitation de l'Alaska au-dessus du cercle polaire, dont une partie a été découpée pour montrer l'intérieur. Des maisons comme celle-ci étaient creusées dans le sol. On y pénétrait par le toit.

UNE TENTE NENET

Matériel : trois couvertures (deux de 2 x 1,50 m et une de 1,20 x 1,20 m), mètre en ruban, ficelle, ciseaux, dix tiges de bambou (neuf de 180 cm de long et une de 30 cm de long), marqueur noir, fil noir, bûche ou pierre.

1 Perce des petits trous espacés de 10 cm sur les côtés de deux grandes couvertures. Passe une ficelle dans les trous et attache les deux ficelles ensemble.

2 Découpe une ficelle de 60 cm. Prends le marqueur noir et attache-le à 55 cm de la baguette de 30 cm. Avec le marqueur, trace un cercle sur la plus petite couverture.

3 Attache quatre baguettes de bambou ensemble à chaque extrémité. Écarte les baguettes sur la couverture servant de sol. Pose les baguettes sur le bord du cercle.

TOIT EN OS

Des os de baleine servaient de chevrons pour soutenir le toit. Une partie de la maison était souterraine. On creusait un trou pour faire le sol, puis on montait des murets de roche et de tourbe. Des os longs et du bois flotté étaient disposés sur les murs pour supporter un toit de tourbe et de pierre.

FENÊTRES

Une ancienne maison en pierre et en tourbe du Groenland. On faisait des fenêtres en étalant des vessies de phoque séchées sur un trou dans le mur. La vessie était assez fine pour laisser passer la lumière.

Une tente couverte de plusieurs couches de peaux faisait un abri confortable pour affronter l'hiver arctique. Les mâts en bois étaient liés avec de la ficelle.

4 Appuie les cinq baguettes qui te restent sur le cadre principal et place les extrémités sur le cercle de base. Laisse un espace devant pour l'entrée.

5 Attache le milieu du bord des deux plus grandes couvertures sur l'arrière du cadre et en haut. Fais deux séries de nœuds pour fixer les couvertures.

6 Ramène chaque couverture vers l'entrée. Attache-les en haut avec une ficelle. Roule bien les couvertures contre les baguettes de bambou qui forment la charpente.

7 Attache cinq fois 1 mètre de fil sur le devant de la couverture. Tire-les fort et attache-les à une bûche ou à une pierre que tu places sur la base de la tente.

CAMPEMENTS SAISONNIERS

En été, les animaux et les plantes de l'Arctique débordent d'activité. La hausse de la température fait fondre la banquise, et les océans pullulent de micro-organismes, le plancton. La toundra se couvre de fleurs. Les insectes sortent de leurs chrysalides et les animaux fouisseurs comme les lemmings émergent de leurs tunnels pour chercher de la nourriture. Les baleines et plusieurs sortes d'oiseaux migrent vers l'Arctique pour profiter de l'abondance de nourriture. La vie des populations de la région évolue avec les saisons. Au Canada, en Alaska et au Groenland, les Inuits quittent leurs villages d'hiver et vont chasser dans leurs territoires d'été. Ils chassent et pêchent les mammifères marins et cueillent les baies sauvages en profitant des longues journées d'été. Au cours des chasses entreprises l'hiver, ils construisent des abris temporaires avec des blocs de glace, appelés « igloos ». Ce type de construction, mis au point au cours des siècles, garde les chasseurs au chaud et les protège contre les tempêtes.

LUEUR RÉCONFORTANTE

Un igloo près de Thulé au Groenland est éclairé par l'éclat d'un réchaud à pétrole. La lumière à l'intérieur révèle la construction en spirale de l'igloo avec des blocs de glace. Les cristaux de neige dans les murs disséminent la lumière de sorte que toute la pièce est baignée de lueur. En langue inuit, *iglou* désigne une maison. Ce type d'abri est appelé *igluigaq*.

CONSTRUCTION D'UN IGLOO

Un Inuit se sert d'un long couteau à neige pour construire un igloo en découpant de gros blocs de neige compacte. D'abord, il dispose des blocs en rond pour former un cercle de 3 m de diamètre. D'autres blocs sont ensuite taillés pour donner une pente sur laquelle on ajoute de nouveaux blocs. À chaque rangée de blocs, le mur s'incurve vers l'intérieur pour donner la forme en dôme de l'igloo.

CONSTRUIRE UN IGLOO

Matériel : argile à séchage rapide, rouleau, planchette, règle, spatule, ciseaux, carton (20 cm x 20 cm), crayon, verre d'eau, peinture blanche, pinceau.

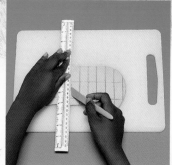

1 Étale la pâte à modeler sur 8 mm d'épaisseur. Coupe trente blocs d'argile : vingt-quatre de 2 x 4 cm et six autres de 1 x 2 cm.

2 Découpe une forme irrégulière dans le carton. Étale de l'argile (8 mm d'épaisseur). Pose ton modèle en carton et découpe tout autour pour faire la base de l'igloo.

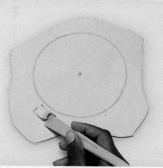

3 Dessine un cercle de 12 cm de diamètre. Découpe un petit rectangle sur le bord du cercle (2 x 4 cm) pour faire l'entrée de l'igloo.

VILLAGE D'IGLOOS

Cette gravure qui date de 1871 représente un grand village inuit de l'Arctique canadien. La plupart des igloos avaient une structure simple en forme de dôme. Les Inuits construisaient ces abris temporaires pendant leurs randonnées de chasse.

MAISON DOUILLETTE

Un chasseur inuit s'abrite dans un igloo. Un petit tunnel empêche le vent de pénétrer directement. Dehors, la température est proche de – 50 °C. À l'intérieur, la chaleur du fourneau, des bougies et celle dégagée par le corps des hommes, maintient l'air autour de 5 °C.

LE DERNIER BLOC

Un chasseur inuit place le dernier bloc de neige compactée sur le toit de son igloo. Les anciens chasseurs utilisaient un couteau à glace effilé pour tailler les blocs afin de les ajuster parfaitement. L'espace entre les blocs était fermé par de la neige pour empêcher le vent de pénétrer.

Les chasseurs inuits édifiaient des habitats temporaires en assemblant des blocs de neige glacée pour former un igloo. Ils n'utilisaient pas de glace mais de la neige gelée et très compacte facile à tailler.

4 Colle neuf gros blocs sur le pourtour du cercle. Prends de l'eau pour faire coller la pâte. Découpe en biais deux blocs rectangulaires comme ci-dessus.

5 À l'aide de la spatule, découpe avec soin un petit morceau de pâte dans chacun des blocs restants comme indiqué ci-dessus.

6 À partir des deux blocs déjà découpés, monte les murs en inclinant chaque bloc vers l'intérieur. Prends les six petits blocs pour le sommet. Laisse un trou tout en haut.

7 Avec la spatule, forme une petite entrée dans l'igloo derrière le rectangle déjà découpé dans la base à l'image 3. Quand la pâte est sèche, peins l'igloo en blanc.

LE CONFORT À LA MAISON

À l'intérieur de l'abri, de petits aménagements rendaient la vie plus confortable. Depuis les temps les plus anciens, les Inuits et les autres peuples de la région utilisaient le sol gelé pour faire des plates-formes de repos sur lesquelles ils étalaient des peaux d'animaux. Les murs et le sol étaient souvent couverts de peaux pour rendre l'habitat plus confortable et pour l'isoler des vents glacés.

Autrefois, le sol des tentes des Nenet et des Samits était constitué de branchages recouverts de peaux. Au centre de la tente, on faisait du feu sur une pierre plate. Les peuples arctiques ont commencé à faire du feu à l'aide d'un outil appelé « arc ». Dans l'abri, des lampes en pierre où brûlait de l'huile de phoque ou de baleine procuraient de la chaleur et un peu de lumière. Avec les lampes et les bougies, les abris étaient plutôt bien chauffés, et on pouvait retirer une partie de ses vêtements.

LE BERCEAU
Un bébé nenet dort dans son berceau. Celui-ci est habituellement accroché à la structure en bois de la tente. Les traverses en bois étaient suffisamment solides pour supporter des poids lourds.

DANS L'IGLOO
Cette gravure de l'intérieur d'un igloo a été réalisée par un voyageur européen en 1824. Les femmes suspendaient toutes leurs affaires à des ficelles, à des poteaux et même à des bois de renne pour les réchauffer dans l'air sec de l'igloo.

UNE LAMPE À HUILE

Matériel : pâte à modeler à séchage rapide, rouleau, planchette, règle, compas, crayon pointu, spatule, verre d'eau, peinture gris foncé et gris clair, petit pinceau.

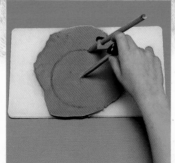

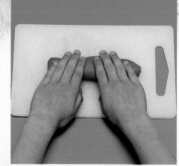

1 Étale un morceau de pâte sur 1 cm d'épaisseur. Dessine un cercle de 5 cm de rayon et découpe-le à la spatule.

2 Avec les mains, forme un long boudin avec un autre morceau de pâte. Il doit faire à peu près 30 cm de long sur 2 cm.

3 Mouille le bord du cercle en pâte et colle le boudin tout autour. Sers-toi du bout arrondi de la spatule pour bien faire adhérer les bords sur la base.

ALIMENTER LE FOURNEAU

Une femme nenet ajoute une bûche dans le fourneau pour maintenir la chaleur à l'intérieur de la tente en peau de renne. Elle a accroché une paire de bottes mouillées au-dessus du fourneau. Le fourneau était assez léger pour être transporté sur les traîneaux tirés par les rennes.

À LA LUMIÈRE DU FEU DE BOIS

Sous sa tente, un berger samit se réchauffe les mains à la lueur d'un feu de bois qui crépite. Tu peux voir une pile de bois près du foyer. Traditionnellement, le toit de la tente était un assemblage de branches de bouleau couvertes de peaux. La fumée montait en spirale et s'échappait par un trou au sommet du toit.

FEU ET GLACE

Deux chasseurs sont assis sur une plate-forme et surveillent le feu. La plupart des foyers étaient posés sur un assemblage en bois flotté ou en os d'animaux. Ainsi, le feu ne risquait pas de faire fondre le sol. On mettait à sécher les vêtements mouillés et les peaux sur un cadre de bois au-dessus du feu.

Les lampes en pierre consommant de la graisse de phoque ou de baleine ont longtemps éclairé les habitants de l'Arctique. On agglomérait une touffe de fourrure ou de mousse dans un récipient rempli de cette graisse qui brûlait lentement.

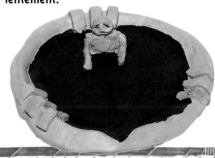

4 Avec la spatule, découpe une petite entaille triangulaire au bord du cercle. Cela fera un petit bec pour le devant de la lampe.

5 Forme une petite pièce avec un morceau de pâte. Prends encore un peu de pâte pour former les épaules. Fixe la tête sur les épaules en mouillant la pâte.

6 Colle la figurine en ne la mettant pas au centre de la base de la lampe. Puis utilise la spatule pour faire un petit sillon sur la base pour retenir l'huile.

7 Décore le pourtour de la lampe avec d'autres morceaux de pâte. Quand c'est sec, peins la lampe.
N'essaie pas de faire brûler quelque chose dans ce type de lampe !

La vie de famille

Les peuples de l'Arctique ont une vie familiale très intime. La plupart des familles comprennent la mère, le père et leurs enfants, parfois les grands-parents, les tantes, les oncles et les cousins. En général, les familles ne dépassent pas une douzaine de personnes.

Les hommes et les femmes avaient leurs propres activités. Les hommes allaient chasser, s'occupaient de leur équipement de chasse et des chiens de traîneaux. Les femmes étaient responsables de beaucoup d'autres choses et prenaient soin, entre autres, du foyer familial. Elles entretenaient le feu, faisaient la cuisine, rapportaient de la glace pour en faire de l'eau potable, préparaient les peaux d'animaux et surveillaient les enfants. Elles faisaient aussi de la couture, réparaient les vêtements de la famille, ainsi que la literie.

La vie dans l'Arctique était dure. Hommes et femmes passaient beaucoup de temps à se protéger du froid, à bien se nourrir.

DIVISION DU TRAVAIL

Une femme nenet prépare le thé pour son mari dans la tente familiale. Chacun avait son propre travail. Les hommes s'occupaient des rennes. Les femmes exécutaient la plupart des autres tâches. Outre la cuisine, elles montaient les tentes, coupaient le bois et préparaient les peaux pour en faire des vêtements.

COUTEAU À TOUT FAIRE

Les femmes inuites se servaient de ce couteau, un *ulu*, pour de nombreux usages, comme couper la viande et racler les peaux. L'*ulu* a une lame ronde, en ardoise polie ou en métal, avec un manche en os ou en bois.

UNE BOURSE À CORDON

Matériel : peau de chamois (21 x 35 cm), colle PVA, brosse pour la colle, crayon, ciseaux, lacet (longueur 50 cm), feutres rouge, bleu foncé et bleu clair, deux perles bleues.

1 Plie le morceau de peau de chamois pour former un carré. Colle les deux côtés opposés en laissant un bord ouvert. Laisse sécher la colle.

2 Sur le côté ouvert de la bourse, fais une marque tous les centimètres des deux côtés de la peau. Utilise les ciseaux pour les petits trous sur chacune de ces marques.

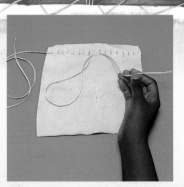

3 Passe un lacet dans les trous d'un côté, puis de l'autre comme ci-dessus. Noue ensemble les extrémités du lacet et laisse pendre.

DÉCOUPAGE DE LA GLACE

Un chasseur inuit détache des blocs de glace près d'une rivière dans le Grand Nord du Canada. Les femmes qui rapportaient la glace pour faire de l'eau potable mettaient ces blocs au-dessus des lampes à graisse de phoque ou de baleine.

AVEC DES PLUMES

Les femmes utilisaient souvent des plumes d'eider pour faire de la literie et des vêtements chauds. Les canes arrachent les plumes de leur poitrail pour garder leurs poussins au chaud. Les femmes ramassaient le duvet dans les nids ou prenaient la peau des animaux avec les plumes. Le mot français « édredon » vient d'ailleurs du mot danois *eiderdun*, qui signifie « duvet d'eider ».

Eider

SÉCHAGE D'UNE PEAU

Une femme inuite tend une peau de phoque sur un cadre de bois pour l'empêcher de se rétracter en séchant. Avec son *ulu*, elle racle la chair et la graisse qui restent à l'envers de la peau. La peau se tend en séchant. Ensuite, elle l'assouplit en la mâchant.

L'HEURE DU REPAS

Un chasseur inuit donne de la viande de phoque à ses huskies. En hiver, les chasseurs leur donnaient un supplément de viande pour leur permettre de tirer un traîneau très chargé et de supporter le grand froid.

4 Découpe soigneusement deux bandes de feutre rouge de 21 cm de long et de 5 cm de large. Puis découpe une petite frange de 1 cm le long des deux côtés du feutre.

5 Colle les bandes de feutre rouge de part et d'autre de la bourse. Tu peux compléter le décor en collant des bandes de feutre bleu de 1 cm de large à d'autres endroits.

6 Noue les deux perles bleues aux extrémités du lacet. Ferme la bourse en tirant sur le lacet et fais un nœud sans fermer.

Les femmes de l'Arctique fabriquaient des sacs, des paniers et d'autres objets. Les bourses à cordons comme celle-ci étaient faites en peau de daim.

LES ENFANTS DE L'ARCTIQUE

UN PETIT IGLOO

Un petit Inuit joue avec un modèle réduit d'igloo dans une garderie de l'Arctique canadien. Les blocs de bois s'élèvent en spirale comme les blocs en neige durcie des vrais igloos. Avec ces jouets, les enfants apprennent l'ancienne technique de construction des igloos.

Les enfants étaient au centre de la société. Les bébés et les jeunes enfants passaient la majeure partie de leur temps sur le dos de leur mère, nichés dans une sacoche douillette appelée *amaut*. En général, on donnait aux bébés le nom d'un membre respectable de la communauté, et leur naissance donnait lieu à un énorme festin. Les autres membres de la famille aidaient la mère à élever son enfant.

Aujourd'hui, les enfants vont à l'école. Autrefois, ils se déplaçaient avec leurs parents à la recherche de nouveaux pâturages pour les rennes ou de nouveaux territoires de chasse. Filles et garçons étaient traités avec égalité. Quand ils grandissaient, les enfants accomplissaient les tâches domestiques et apprenaient ce qui leur servirait plus tard dans la vie. Les garçons commençaient à chasser et à s'occuper des animaux. Les filles s'initiaient à la couture, apprenaient à faire la cuisine et au travail des peaux.

JOYEUX ANNIVERSAIRE

La nourriture traditionnelle est prête pour l'anniversaire du jeune garçon assis à la table. Les parents donnent souvent à leurs bébés le nom d'un membre célèbre de la communauté qui peut être, par exemple, un grand chasseur. On croit que le bébé va hériter du talent et de la personnalité de son homonyme.

UN JOUET AUX OISEAUX

Matériel : pâte à modeler à séchage rapide, rouleau, règle, spatule, planchette, cure-dents, peinture blanche et brune, verre d'eau, pinceau.

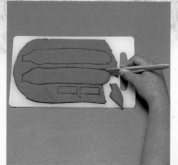

1 Étale de la pâte pour faire un rectangle de 22 x 14 cm et d'une épaisseur de 1 cm. Découpe deux grosses plaques (18 x 3 cm) et deux pieds (4 x 2 cm).

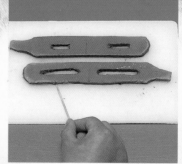

2 Découpe deux fentes sur une plaquette (5 cm x 8 mm) et deux sur l'autre plaquette (2,5 cm x 8 mm). Prends un cure-dents pour percer un trou dans la plaquette 1 comme ci-dessus.

3 Forme deux œufs de 5 x 3,5 cm dans le creux de tes mains. Fais-leur une tête et colle-les sur le corps en forme d'œuf.

AIDER SES PARENTS

Un jeune Nenet et son frère aident un renne qui a perdu sa mère à s'allonger. Le père apprenait à ses fils dès leur plus jeune âge à s'occuper des animaux. On poussait les enfants à prendre soin du renne conducteur du troupeau et des chiens.

IMAGE D'AUTREFOIS

Sur cette ancienne illustration, un enfant est transporté dans une sacoche appelée *amaut* sur le dos de sa mère. Le second enfant est fourré dans une de ses grandes bottes en peau de phoque. Il était peu courant pour un enfant d'être transporté de cette manière.

JOUER AVEC DES POUPÉES

Une poupée vêtue d'un chaud manteau de laine est posée sur un traîneau nenet. Les petites filles des régions arctiques aiment jouer à la poupée comme tous les enfants du monde. Traditionnellement, les têtes des poupées étaient sculptées dans de l'ivoire de morse.

Aujourd'hui, les poupées sont en plastique.

Autrefois, les enfants avaient des jouets articulés comme ces oiseaux.

Les animaux étaient sculptés dans l'os ou l'ivoire. En tirant sur les palettes, l'enfant faisait picorer les oiseaux.

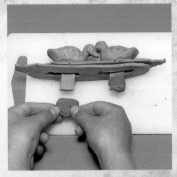

4 Fixe les supports à la base du corps de chaque oiseau. Perce un petit trou avec le cure-dents à la base du corps de chaque oiseau.

5 Pose l'oiseau sur le côté et laisse-le sécher. Tu auras besoin de poser le support sur un morceau de pâte pendant que l'oiseau sèche.

6 Pose le support de chaque oiseau dans les fentes des plaquettes. Enfonce un cure-dents dans les trous au bord de la première plaquette. Perce aussi de l'autre côté.

7 Ajoute deux petits morceaux de pâte au pied de chaque support pour tenir les oiseaux. Tu peux peindre le jouet quand la pâte a séché.

DES JEUX ET DES PLAISIRS

Les premières années étaient merveilleuses pour les enfants qui avaient beaucoup de temps pour s'amuser. Dehors, ils faisaient des glissades et de la luge. À l'intérieur, ils s'exerçaient aux jeux traditionnels et apprenaient à graver les os des animaux. Le soir, tout le monde se réunissait autour du feu, et les grandes personnes racontaient des histoires fantastiques de guerriers intrépides luttant contre des monstres. Ainsi, les Samits de Scandinavie racontaient à leurs enfants des contes sur les *Stallos*, des monstres effrayants qui mangeaient les gens. Le héros de ces contes devait être très rusé pour éviter d'être dévoré tout cru.

L'ivoire, les os, les peaux et les tendons servaient à faire des jouets. On fabriquait des balles avec les vessies de phoque dilatées. Les os minuscules des nageoires de phoque servaient à faire une sorte de cochonnet pour jouer aux boules.

GLISSADE DANS LA NEIGE

Deux enfants s'amusent à glisser. Les garçons et les filles aiment jouer dans la neige. La luge et les jeux permettaient aux enfants de connaître les différentes conditions climatiques régnant dans la région.

À LA CHASSE

Un chasseur inuit apprend à son fils à déchiffrer les traces dans la neige. Les garçons apprenaient les techniques de chasse dès leur plus jeune âge. Un garçon se souvenait de son premier gibier pour le reste de sa vie. À cette occasion, ses parents faisaient une fête pour toute la famille. À l'âge de douze ans, il partait en voyage avec son père chasser le morse ou la baleine.

UN BILBOQUET ARCTIQUE

Matériel : papier Canson, règle, crayon, colle PVA, brosse à colle, papier cache, ciseaux, compas, fil noir de 40 cm, carton, peinture, crème, pinceau, baguette.

1 À l'aide du papier Canson, dessine un triangle rectangle de 13 cm de long et de 15 cm de haut. Enroule-le autour d'un crayon pour l'assouplir.

2 Forme un cône avec le papier Canson et ferme-le avec la colle. Tu auras besoin de le consolider avec un morceau de papier cache.

3 Quand tu auras bien fixé, découpe le morceau de papier qui dépasse à la base. Ne découpe jamais en dirigeant les ciseaux vers toi.

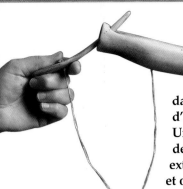

LANCE ET ATTRAPE !

L'*ajagaq* était un jeu pratiqué dans l'Arctique d'Amérique du Nord. Un gros os de phoque avec deux trous à chaque extrémité était lancé en l'air et on essayait de le rattraper avec un os plus mince.

JEU DE LASSO

Un petit Tchouktche de la Russie arctique apprend à se servir d'un lasso avec un bois de renne. Cette technique deviendra essentielle dans sa vie. Les bois de renne servaient à divers jeux. Les enfants couraient en rond en les mettant sur leur tête en faisant semblant d'être un renne, tandis que d'autres essayaient de les attraper au lasso.

JEU DE FICELLE

Une femme inuite du Groenland montre une figure qu'elle a réalisée en passant une cordelette entre ses doigts. Cette figure représente deux bœufs musqués en train de s'affronter. Les jeux permettaient de passer les longs hivers. Les cordelettes étaient faites de tendons très fins ou des lanières en peau de phoque.

On jouait à l'ajagaq avec deux os d'animaux reliés par une mince lanière en peau de phoque. Deux trous étaient percés à chaque extrémité du plus gros des deux os. On devait enfoncer l'os long très mince dans l'un des trous.

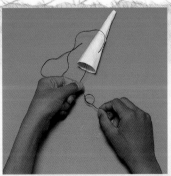

4 Recouvre le cône de papier cache. Fais un trou au milieu du cône. Passe du fil noir à l'intérieur. Fais un nœud. Fixe-le avec du papier cache.

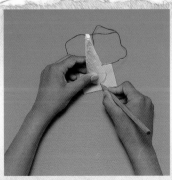

5 Avec la base du cône, dessine un cercle sur un morceau de carton. Découpe soigneusement le cercle avec les ciseaux.

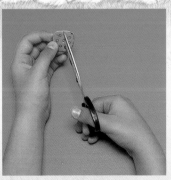

6 Perce plusieurs trous dans le cercle en carton. La baguette doit passer dedans. Colle ce carton à la base du cône.

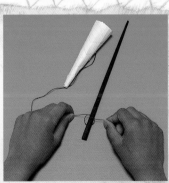

7 Peins soigneusement le cône en évitant les trous. Quand il est sec, fixe la baguette à l'autre extrémité du fil en faisant un nœud solide comme ci-dessus.

SUR LA GLACE ET LA NEIGE

Au cours de l'hiver, la surface de l'océan Arctique gèle et la neige recouvre tout. Autrefois, le traîneau était le seul moyen de locomotion. Il était fait d'os d'animaux ou de bois flottés attachés avec des lanières de peau ou des tendons de baleine. Il glissait sur la neige grâce à des patins en défense de morse ou en bois. Il devait être assez léger pour être tiré par des animaux, mais assez solide pour transporter toute une famille avec ses biens. En Amérique du Nord, les Inuits faisaient tracter leurs traîneaux par des huskies, alors qu'en Sibérie et en Scandinavie on préférait les rennes.

Dans les temps anciens, les peuples de l'Arctique utilisaient parfois des skis et des raquettes pour se déplacer. Les skis ont été inventés par les Samits il y a plus de trois mille cinq cents ans. Les raquettes permettaient aux chasseurs de suivre leurs proies sans s'enfoncer dans la neige.

TRAÎNEAUX À RENNES

Trois rennes, une famille et leur traîneau en Sibérie. En Russie et en Scandinavie, les rennes étaient couramment utilisés pour tirer les traîneaux. Il y avait des traîneaux pour une personne. Des traîneaux plus grands pouvaient transporter des charges bien plus lourdes.

ATTELAGE DE CHIENS

Un équipage de huskies tente de gravir une pente dans l'est du Groenland. Les rênes, ou brides, attachées aux chiens pour tirer les traîneaux étaient faites de lanières en peau de morse. Différentes méthodes d'attelage étaient utilisées. On attelait les chiens en éventail ou par deux sur une file.

UN PETIT TRAÎNEAU

Matériel : carton, balsa, règle, crayon, ciseaux, colle PVA, brosse à colle, papier cache, compas, baguettes à barbecue, ficelle, peau de chamois, peinture marron, pinceau, verre d'eau.

Gabarit C — 18 cm × 4 cm
Gabarit D — 18 cm × 8 cm
Gabarit B — 21 cm × 8 cm
Gabarit E — 18 cm × 3 cm
Gabarit A — 61 cm / 54 cm × 5 cm / 6,5 cm

Utilise les formes ci-dessus, reporte les mesures sur le carton (prends du balsa pour le gabarit C). Découpe les formes avec les ciseaux. Tu auras besoin de quatre gabarits A, quatre gabarits B, huit gabarits C (balsa), un gabarit D et un gabarit E. Souviens-toi de ne jamais diriger la pointe des ciseaux vers toi.

1 Colle l'un contre l'autre les deux gabarits A. Fais de même pour les deux autres gabarits. Recommence avec les quatre gabarits B. Recouvre les bords avec du papier cache.

RAQUETTES

Les raquettes servent à marcher sur la neige sans s'enfoncer. Elles répartissent le poids de la personne sur une surface plus large. On les fabriquait avec du jeune bois de bouleau mince et souple que l'on courbait à la vapeur. On recourbait le bois pour former le cadre de la raquette. Certaines étaient arrondies, d'autres étroites. Pour le filet, on tissait de longues bandes de peau.

Jeune bouleau

Raquettes

Lanières en peau

LE MEILLEUR AMI DE L'HOMME

Cette image peinte vers 1890 représente un chasseur inuit qui attelle un de ses huskies. À la chasse, les chiens débusquent les phoques et tirent le gibier jusqu'au campement.

SKIS SAMITS

Les skis des Samits étaient en bois et le dessous couvert d'une peau de renne. Le sens des poils était dirigé vers l'arrière pour favoriser la glissade vers l'avant et empêcher le ski de reculer quand on gravissait une pente.

NE RÉVEILLE PAS LE CHIEN QUI DORT !

L'épaisse fourrure du husky lui permet de supporter des températures de – 50 °C. Cet animal peut affronter sans broncher les blizzards les plus durs. La neige sur sa fourrure lui sert de protection.

Les chasseurs inuits utilisent des traîneaux en bois tirés par des huskies pour transporter de la viande sur une longue distance. Le bois était attaché par des lanières en peau ou des tendons.

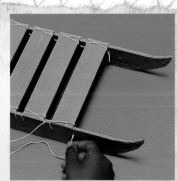

2 Avec un compas, fais deux petits trous près du bord extérieur des gabarits A. Agrandis les petits trous avec la baguette à barbecue.

3 Colle les plaques de balsa C au-dessus des trous comme ci-dessus. Tu auras besoin de huit plaques de balsa.

4 Colle les gabarits B, les E et les D à l'extrémité du traîneau comme ci-dessus. Laisse sécher, puis peins le modèle réduit.

5 Passe la ficelle dans les trous pour fixer les plaques de chaque côté. Décore le traîneau avec du carton couvert de peau de chamois.

SUR L'EAU

En été, dès que la glace a fondu, les habitants de l'Arctique vont sur l'eau pour chasser. Les Inuits utilisaient un canoë individuel appelé *kayak* pour suivre leurs proies. Les *kayaks* étaient dirigés par une pagaie à deux lames. De manière à rendre l'embarcation plus étanche, le chasseur fermait le haut du *kayak* en ne laissant qu'une ouverture dans laquelle il se glissait.

Ce genre de canoë était si pratique qu'il est encore utilisé de nos jours, même en dehors de l'Arctique.

Les *kayaks* étaient légers, rapides, idéals pour le chasseur solitaire à la poursuite d'un phoque. Quand ils chassaient la grande baleine franche, les Inuits formaient un groupe d'une dizaine de personnes et se déplaçaient dans des embarcations plus grandes et découvertes, les *umiaks*. Ces bateaux servaient également à transporter des familles et de lourdes charges.

UN VOYAGE EN *KAYAK*

Une gravure de 1860 représente un Inuit en *kayak* chassant une petite baleine arctique ou narval. Le harpon est attaché à un gros flotteur pour empêcher le corps du narval de sombrer s'il meurt. Le matériel du chasseur est solidement fixé au *kayak* à l'aide d'épaisses lanières en peau.

CONSTRUIRE UN *KAYAK*

Un Inuit finit d'ajuster le cadre en bois de son *kayak*. Traditionnellement, le cadre en bois était recouvert de peaux de phoque cousues avec des points habilement étanches. Les joints s'emboîtaient exactement. Les pièces de bois étaient fixées par des chevilles en bois et des lanières en peau.

UN MODÈLE D'UMIAK

Matériel : peau de chamois, carton, papier Canson, baguette (5 mm), règle, crayon, ciseaux, pinceau à colle, papier cache, peinture brune, pinceau, verre d'eau, aiguille, fil marron.

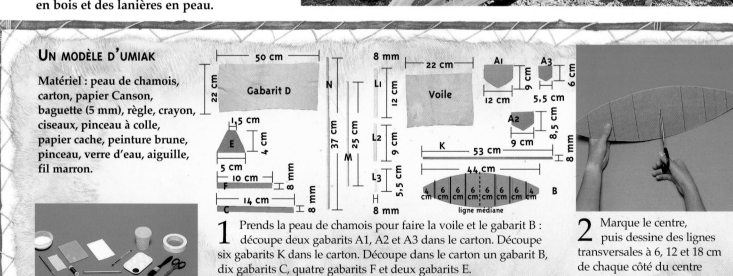

1 Prends la peau de chamois pour faire la voile et le gabarit B : découpe deux gabarits A1, A2 et A3 dans le carton. Découpe six gabarits K dans le carton. Découpe dans le carton un gabarit B, dix gabarits C, quatre gabarits F et deux gabarits E.
À l'aide de la baguette, découpe le gabarit N et deux gabarits M. Les gabarits L1, L2 et L3 doivent être découpés en deux exemplaires.

2 Marque le centre, puis dessine des lignes transversales à 6, 12 et 18 cm de chaque côté du centre du gabarit B. Prends les ciseaux pour couper le long des traits.

UMIAK RENVERSÉ

Une photo prise en Alaska vers 1900 montre une famille inuite abritée sous un *umiak* renversé. Les *umiaks* étaient fabriqués avec des peaux de morse ou de phoque tendues sur une charpente en bois flotté ou en os. On les utilisait pour transporter des charges ou plusieurs personnes.

DES EAUX TROMPEUSES

Un grand iceberg dérive au large de la côte du Groenland. Pour les Inuits, la mer cachait de nombreux dangers, en particulier les icebergs quand ils se cassaient ou basculaient. En été, la fonte des glaces rendait difficile le passage des bateaux. Si un chasseur tombait dans l'eau glacée, il pouvait mourir de froid en quelques minutes.

PAGAIE DE *KAYAK*

Un chasseur inuit taille une pagaie à deux lames dans une planche en bois, ce qui l'aide à maintenir la stabilité du bateau quand il se déplace. En frappant l'eau plus souvent, la pagaie à deux lames présente aussi l'avantage d'augmenter la vitesse de l'embarcation.

UN VOYAGE EN *UMIAK*

Trois chasseurs inuits pagaient dans un petit *umiak* à travers les eaux glacées de l'Alaska. Les *umiaks* étaient plus stables que les *kayaks* dans une mer agitée et pour chasser de gros mammifères marins. Toutefois, ils étaient plus lourds à tirer sur le rivage.

3 Colle la section du milieu A aux sections du gabarit B, comme ci-dessus. Utilise les plus petits gabarits A pour l'extrémité. Mets le plus grand gabarit A au milieu.

4 Colle deux bandes de gabarit K aux deux côtés de la structure comme ci-dessus. Colle les gabarits K ensemble à chaque bout de la structure.

5 Fais passer les gabarits C à travers les gabarits K et par-dessus les gabarits A comme ci-dessus. Fixe avec de la colle. Laisse 1,5 cm de carton sur le bateau.

6 Colle ensemble les extrémités de C avec du papier cache. Répète les deux dernières étapes avec F pour les parties les plus petites de la structure...

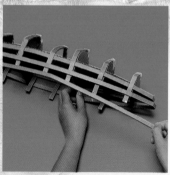

ARMES ET OUTILS

Les chasseurs de l'Arctique avaient à leur disposition plusieurs types d'armes fabriquées à partir de matériaux aussi divers que les peaux, les os et l'ivoire des animaux. Les armes étaient conservées en bon état pour que le chasseur puisse s'en servir quand il en avait besoin. Les armes traditionnelles comprenaient l'arc, les flèches et la fronde qu'on utilisait pour attraper les oiseaux et d'autres proies. De longues lances dentelées propulsées par un objet appelé *kakivak* servaient à attraper le poisson. Phoques, baleines et animaux marins étaient chassés au harpon. Les autres objets qui complétaient la panoplie du chasseur étaient des filets, des hameçons et des lunettes protectrices contre le soleil. Quand ils chassaient en *kayak*, les Inuits occidentaux de l'Alaska ou de l'Asie, les Yupiks, portaient des casques en bois pour se protéger les yeux des reflets du soleil.

ARC ET FLÈCHES

Un jeune Nenet chasse des oiseaux avec un arc et des flèches. L'arc était en os ou en bois avec une corde en tendons d'animal tordus. L'extrémité de la flèche était en ivoire on en cuivre.

LUNETTES DE NEIGE

Ces lunettes de neige sont en bois de renne. Le chasseur regardait par les étroites fentes. Ces lunettes protégeaient les yeux de la réflexion du soleil sur la neige, qui risquait de lui provoquer une cécité temporaire.

PROPULSEUR

Un chasseur inuit tient un propulseur à lances dentelées, appelé *kakivak*. Cet objet permet d'envoyer une lance à l'extrémité garnie de barbillons qui s'enfonce dans la chair des animaux pour ne plus en ressortir.

7 Colle les gabarits K restants sur les côtés et les extrémités de la structure. Fais un trou pour le mât au milieu de la base du bateau.

8 Colle à l'intérieur les gabarits E aux deux bouts de la structure comme ci-dessus. Peins l'intérieur du bateau et laisse sécher.

9 Recouvre les côtés du bateau avec les gabarits D en peau de chamois. Étire et colle la peau de chamois comme ci-dessus. Laisse-la pendre librement.

10 Découpe deux petites fentes dans le gabarit D. Fais chevaucher et recourbe le gabarit en peau de chamois autour de la structure.

LA FABRICATION DU HARPON

Le harpon est utilisé pour chasser
les phoques, les baleines et les morses.
Chaque harpon était joliment sculpté.
Le bois et l'ivoire étaient étroitement associés
pour former le manche, et la pointe en ivoire était en métal
comme du cuivre. La tête était solidement attachée
à une longue lanière reliée à un flotteur en bois ou en vessie
de phoque gonflée. Aujourd'hui, les chasseurs utilisent une ligne
en Nylon attachée à un flotteur.

Cuivre

*Tête
de harpon*

HARPON TOUJOURS PRÊT

Un harpon est posé sur la proue d'un bateau
au large de la côte de l'Alaska. Relié à un flotteur
par une corde solide, il empêchera l'animal
de disparaître sous l'eau et permettra au chasseur
de ne pas le perdre
s'il rate sa cible.

UN PIC EFFICACE

Ce pic inuit en
défense de morse est attaché à
un manche en bois avec de fines lanières de peau.
Ces pics ont servi à briser la couche de glace ou à tailler
des gros blocs de glace.

Les *umiaks* étaient de grands
bateaux ouverts d'environ 9 m
de long. Ils pouvaient
transporter jusqu'à dix
personnes. Ils étaient propulsés à
la rame ou à la voile et servaient
au transport ou à
la chasse.
Les femmes
devaient
également ramer.

FILET À OISEAUX

Un chasseur de l'Arctique vérifie son filet appelé *lpu*.
En été, ces filets sont utilisés pour attraper des oiseaux
qu'on appelle « petits pingouins ».

11 Colle la base
des gabarits D comme
ci-dessus. Tends bien l'extrémité
de la peau de chamois pour
que tout se recouvre bien.

12 Colle les gabarits M
du mât en balsa à 2 cm
et à 17 cm du haut du gabarit N
comme ci-dessus. Maintiens-les
avec du fil.

13 Peins le mât et laisse
sécher. Couds
soigneusement la voile sur
le mât à l'aide de gros points
de surjet comme ci-dessus.

14 Fixe la voile à la colle
et au papier cache
en utilisant le trou fait au début.
Colle les gabarits L sur
les pièces A pour faire des sièges
et peins-les.

BONNE PÊCHE
Assis sur son traîneau, un Inuit du Groenland oriental pêche le flétan dans un trou creusé dans la glace. Il a déjà attrapé quatre poissons. Le chasseur arctique se servait d'hameçons, de filets et de lances pour capturer ses proies. En été, on pêchait principalement dans les lacs et dans les frayères des rivières.

À LA CHASSE

Les habitants de l'Arctique étaient des chasseurs réputés. Ils se nourrissaient de viande pendant la plus grande partie de l'année. En Russie et en Scandinavie, les éleveurs mangeaient surtout du renne. En Amérique du Nord et au Groenland, la principale source de nourriture des Inuits était le phoque (les Inuits l'appelaient le « donneur de vie »). La plupart des animaux terrestres comme le lièvre arctique, le bœuf musqué et les oiseaux pondeurs étaient aussi consommés. Sur la glace ou sur l'eau, les chasseurs poursuivaient également les ours polaires, les poissons, les morses et les baleines.

Seuls les hommes allaient à la chasse. Pendant l'été, c'est en bateau que les chasseurs traquaient les phoques et les morses. Quand la mer gelait en hiver, les mêmes animaux étaient poursuivis à pied. Même quand le soleil ne brillait presque plus à l'horizon, les chasseurs de l'Arctique partaient chercher de la nourriture pour leur famille.

TRAQUE DU PHOQUE
Un dessin de 1820 représente deux Inuits guettant les phoques venus respirer par des trous qu'ils ont creusés dans la glace. En été, les phoques grimpent sur la glace pour venir dormir au soleil. Les Inuits les traquaient à pied. Si le phoque se réveillait, le chasseur s'allongeait sur la glace en l'imitant. Un bon chasseur pouvait ramper jusqu'au phoque pour l'assommer.

UN LEURRE

Matériel : feutre vert foncé (90 x 65 cm), ciseaux, règle, ficelle, six baguettes de bambou (deux de 80 cm et quatre de 55 cm), papier cache, colle PVA, pinceau à colle, feutre vert clair, crayon, feuilles.

1 Plie le feutre vert foncé en deux sur la longueur. Avec les ciseaux, fais un petit trou au centre du feutre sur la pliure, comme ci-dessus.

2 Noue de la ficelle à une extrémité des deux baguettes de bambou de 55 cm. Prends du papier cache pour tenir la ficelle en place en laissant pendre 10 cm.

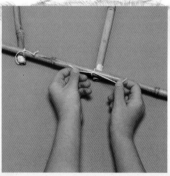

3 Attache les extrémités de deux bambous de 55 cm au milieu de l'un des bambous de 80 cm, comme ci-dessus.

CACHE

Aujourd'hui, les chasseurs inuits utilisent des fusils. Le chasseur ci-dessus est à l'affût derrière un écran pour chasser le phoque. L'écran et le fusil sont posés sur un petit traîneau qui permet au chasseur de s'avancer lentement vers sa cible.

À L'ATTAQUE !

Cette image représente un chasseur inuit brandissant son harpon sur un phoque qui passe la tête hors de l'eau pour respirer. Silencieux et immobiles, les chasseurs pouvaient attendre pendant des heures. La moindre vibration aurait fait fuir l'animal. Quand le phoque venait à la surface, le chasseur le transperçait de son harpon et le sortait du trou.

FILET AUX OISEAUX

Un Inuit a pris un oiseau sur les rochers de Pitufik dans le nord-ouest du Groenland. Au printemps, des millions d'oiseaux migrent dans l'Arctique pour pondre et couver leurs œufs. Les Inuits attrapent ces oiseaux au filet ou avec des sortes de *bolas* (longues cordelettes terminées par des poids).

Les Inuits et les autres chasseurs utilisaient des écrans pour se mettre à l'affût pendant la chasse. La plupart de ces leurres étaient blancs pour mieux se confondre avec la nature environnante. Un écran vert serait plus indiqué dans nos régions tempérées.

4 Attache les deux autres baguettes de bambou de 55 cm sur les largeurs du feutre. Colle une baguette de 80 cm sur une des longueurs. Fixe les coins du bambou.

5 Colle la baguette de bambou de 80 cm de la figure 3 sur le quatrième côté du feutre. Colle bien toute la longueur des bambous attachés ensemble.

6 Dessine des feuilles sur le feutre vert clair et, avec les ciseaux, découpe-les. Tiens toujours les ciseaux avec la pointe loin de toi.

7 Décore le cadre en collant des feuilles sur le devant. Tu peux coller quelques vraies feuilles pour obtenir un meilleur camouflage.

CHASSEURS DE GROS GIBIER

Outre des proies assez petites comme des phoques, les chasseurs de l'Arctique traquaient aussi de gros et dangereux animaux, tels le bœuf musqué, les baleines et les ours polaires.

Chasser ces animaux était très risqué. Une grosse baleine peut facilement faire chavirer un *umiak* et l'écraser. Égaré dans l'eau glacée, le chasseur peut mourir en quelques minutes.

L'ours polaire acculé est un animal tout aussi redoutable.

D'un coup de ses énormes pattes, il peut tuer le chasseur.

Ce farouche prédateur est également l'un des rares animaux au monde à chasser les humains.

Le bœuf musqué est aussi capable de se défendre.

Ce grand mammifère à longs poils possède des cornes qui peuvent transpercer un infortuné chasseur et le tuer. La chasse aux gros mammifères était pratiquée en groupe et soigneusement organisée. Si la chasse était bonne, un animal suffisait à nourrir la famille pendant plusieurs jours.

CHASSEUR FÉROCE

L'ours polaire vient de tuer un phoque dans le nord de la Norvège. C'est un animal redoutable aux griffes puissantes et aux dents tranchantes comme un rasoir. Cela ne décourageait pas les Inuits. Ils lançaient leurs chiens contre l'ours pour l'empêcher de fuir et le transperçaient d'un coup de lance quand ils étaient suffisamment près.

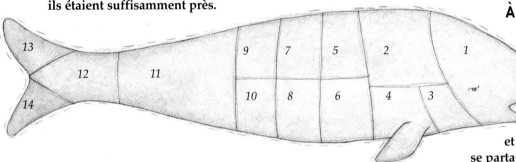

À CHACUN SA PART

Quand on tuait une baleine blanche, elle était partagée entre les chasseurs de sorte que chacun ait sa part. L'homme qui avait lancé le premier le harpon recevait la tête et une partie du cou (parts 1, 2 et 3). Les autres et le propriétaire du bateau se partageaient le reste.

LUNETTES DE NEIGE

Matériel : un morceau de papier Canson, règle, crayon, ciseaux, peau de chamois (22 x 6 cm), stylo noir, colle PVA, brosse à colle, compas, élastique.

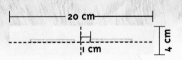

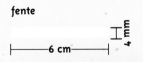

1 Découpe un morceau de carton de 20 x 4 cm. Trouve le centre du morceau et dessine les yeux à 1 cm du centre. Les fentes doivent faire 6 cm x 4 mm.

2 Découpe avec soin les fentes en utilisant la pointe des ciseaux pour percer le papier Canson. Tiens toujours la pointe des ciseaux loin de toi.

3 Place le papier sur un morceau de peau de chamois. Avec le carton pour modèle, dessine la forme des lunettes sur la peau. N'oublie pas de tracer les fentes.

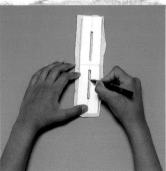

UN ANIMAL UTILE

La baleine est un animal précieux.
Chaque partie de son corps était utile.
Les chasseurs se partageaient la chair, la graisse
et les organes internes. Une partie de la viande était
donnée aux chiens. La peau de baleine appelée *muktuk*
était un régal. La vessie procurait lumière et chaleur.
Les énormes os permettaient de construire des abris
ou, sculptés, donnaient des armes et des outils

Muktuk

Os de baleine

UNE CHARGE DE BŒUFS MUSQUÉS

Un groupe de bœufs musqués protège ses jeunes
contre les prédateurs. Le bœuf musqué est un animal
paisible s'il n'est pas menacé. Sinon, les adultes
baissent la tête et chargent. Les Inuits redoutaient
le bœuf musqué mais le chassaient pour se nourrir.

CHASSE À LA BALEINE

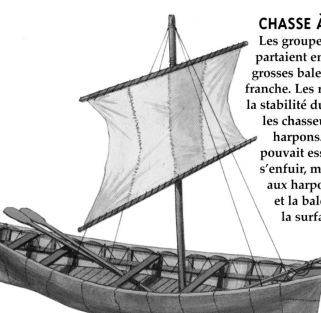

Les groupes de chasseurs inuits
partaient en *umiak* chasser les
grosses baleines comme la baleine
franche. Les rameurs maintenaient
la stabilité du bateau pour que
les chasseurs puissent lancer leurs
harpons. Une baleine blessée
pouvait essayer de plonger ou de
s'enfuir, mais les flotteurs attachés
aux harpons l'en empêchaient
et la baleine revenait à
la surface. Progressivement,
elle se
fatiguait.
Pour finir,
les chasseurs
la tuaient
et la hissaient sur
le rivage.

Les chasseurs de
l'Arctique avaient
des lunettes pour
chasser sur terre
et sur mer. Les fentes
étroites réduisaient
l'éblouissement
causé par
la réflexion
du soleil
sur la neige
sur la mer
et le chasseur
pouvait ainsi
voir plus
distinctement.

4 Découpe le pourtour des
lunettes en laissant
une petite marge autour
des bords. Découpe les fentes
que tu as dessinées sur la peau
de chamois.

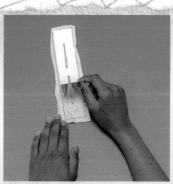

5 Colle le carton sur la peau
de chamois en prenant soin
de bien faire coïncider les fentes
de la peau de chamois
avec celles du papier Canson.

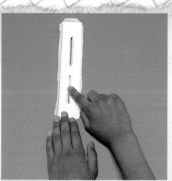

6 Replie la peau sur l'envers
et colle les rebords sur
l'envers de la carte. Découpe
les fentes, replie le bord sur
l'arrière et colle-le sur le carton.

7 Fais un petit trou dans
chaque côté des lunettes
et enfile l'élastique par ces trous.
Fais un nœud au bout.
L'élastique doit tenir autour
de ta tête.

LA MAGIE DES CHASSEURS

Les hommes de l'Arctique avaient un grand respect pour la nature et pour les animaux qu'ils chassaient. Pour eux, tous les êtres vivants avaient un esprit. Quand ils tuaient un animal, ils pratiquaient un rituel afin d'apaiser son esprit. Les Inuits, par exemple, décapitaient la bête morte pour aider l'esprit à quitter le corps. Ils lui faisaient des offrandes de nourriture et de boisson en espérant que l'esprit de l'animal renaîtrait et qu'ils pourraient le chasser de nouveau.

Ils rejetaient aussi à la mer des morceaux de l'animal qu'ils venaient de tuer. Les chasseurs ne prenaient que ce qu'il leur fallait pour vivre. Ils ne gaspillaient rien. Les populations de l'Arctique avaient de nombreux interdits ou tabous, règles liées à des pratiques spirituelles. Si un chasseur brisait un tabou, on pensait que les esprits seraient irrités et que cet homme n'aurait plus de succès à la chasse. Les chamans étaient respectés, car ils faisaient le lien entre le peuple et les esprits et leur parlaient. Ils dirigeaient les cérémonies qui devaient apporter la chance à la chasse.

PILIER SACRÉ

Ce que l'on voit ci-dessus sont des piliers de pierre ou *inuksuk,* édifiés autrefois par les Inuits. Certains sont très anciens. Ils ont un rapport avec les interdits de la chasse et sont liés à des pratiques religieuses. Les colonnes représentent des personnes les bras écartés (*inuksuk* veut dire « comme des personnes »). Elles marquaient la route et dirigeaient les rennes vers les endroits où les chasseurs les attendaient.

UN ANIMAL RESPECTÉ

Cette sculpture en ivoire d'un ours polaire vient du Groenland. De nombreux interdits entouraient la chasse à cet animal respecté. Les Inuits estimaient l'ours polaire, car il leur rappelait les humains, particulièrement quand il se tient sur ses pattes de derrière.

BOÎTE BALEINE

Cette boîte en bois est sculptée en forme de baleine. Elle contient les pointes de lance destinées à harponner les baleines. Comme les autres peuples de l'Arctique, les Inuits croyaient que les baleines seraient plus facilement tuées par des armes sculptées à leur propre image. Les pointes de lances contenues dans une « baleine » pourraient mieux atteindre leurs cibles.

GRATTOIR MAGIQUE

Cette défense est un souvenir des années 1920. Pour chasser le phoque, les Inuits l'imitaient en frottant sur la glace un grattoir en ivoire comme celui-ci. Le bruit attirait les phoques, qui arrivaient ainsi à proximité des harpons. Les grattoirs étaient souvent sculptés en forme de tête de phoque. Les chasseurs croyaient que cela leur porterait chance.

CÉRÉMONIE DU PRINTEMPS

Sur le rivage, les Tchouktches offrent de la nourriture aux esprits de la mer. Les Tchouktches partaient en mer dès le début du printemps. Ils offraient de la nourriture aux esprits pour les apaiser et pour que l'année soit bénéfique. Ailleurs, quand ils tuaient une grosse baleine, les chasseurs faisaient une fête pour remercier les esprits de la mer.

MAGIE IMITATIVE

Ces anneaux permettaient aux chasseurs de hisser les animaux tués sur la glace. Les anneaux à gauche sont décorés avec les têtes de trois ours polaires. Les armes des chasseurs représentaient souvent les animaux qu'ils chassaient. Cette magie par imitation devait apaiser l'esprit des animaux et préserver les chances du chasseur dans ses futures expéditions.

NOURRITURE ET FESTINS

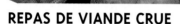

La plus grande partie de l'année, les habitants de l'Arctique se nourrissent de poisson et de gibier, la « viande terrestre ». La graisse, la chair, les organes et la peau des phoques, des baleines, des rennes et des autres animaux contiennent toutes les protéines, tous les sels minéraux et toutes les vitamines nécessaires. Les légumes et les céréales, tel le blé, poussaient difficilement dans ces régions. Peu de plantes pouvaient prospérer sur le sol gelé.

En hiver, la nourriture était rare, et les animaux étaient la principale source d'alimentation. En été, la nourriture était plus variée. On consommait des baies, des oiseaux de mer et leurs œufs. Les femmes sibériennes et samites ramassaient des champignons, qui devenaient plus grands que les plantes de l'Arctique. En automne, quand on abattait les rennes, on organisait un grand festin. Tout le monde était très occupé à ramasser et à stocker de la nourriture pour les mois d'hiver.

REPAS DE VIANDE CRUE
Un jeune garçon nenet de la péninsule de Yamal, en Sibérie, se régale de viande de renne crue. Les gens mangeaient souvent de la viande crue. On gaspille beaucoup de combustible pour la faire cuire et la cuisson détruit les précieuses vitamines.

LA VIANDE SÉCHÉE
Un chasseur inuit du nord-ouest du Groenland pose des bandes de viande de narval sur des rochers pour les faire sécher. Le séchage de la viande est un excellent moyen de conservation en été. On nettoyait les intestins des animaux et on les faisait aussi sécher. On cachait la viande sous les rochers pour la protéger des renards et des autres carnivores. Si la viande attendait plusieurs mois, elle finissait par sentir très fort, mais personne n'était malade. En hiver, les températures très basses empêchaient la viande de se décomposer et conservaient la nourriture. Les corps des animaux tués étaient dissimulés sous des rochers dans la neige, près de la maison. On en prenait quand on en avait besoin.

FILETS DE POISSON

Des chasseurs inuits regagnent le rivage avec leur pêche. Traditionnellement, les femmes nettoyaient les poissons, prélevaient les filets et les accrochaient sur des râteliers pour les faire sécher et les conserver. Elles découpaient la chair du poisson en carrés pour accélérer le séchage.

LES BAIES

De nombreuses baies poussent à l'état sauvage dans la toundra. Parmi elles, les airelles, les canneberges et certaines variétés de framboises. Les mûres contiennent de précieuses vitamines. C'est en automne qu'on les cueille, quand elles sont fraîches.

Airelles *Canneberges* *Variétés de framboises*

LES ŒUFS DE L'OISEAU

Cette image représente trois œufs dans un nid d'eider. Au printemps, beaucoup d'oiseaux pondeurs migrent dans l'Arctique pour élever les petits. Les œufs sont une précieuse source de nourriture et de protéines pour les habitants de l'Arctique et permettent de varier les menus.

UN BON REPAS

Une femme nenet cuisine pour sa famille. Dans les sociétés arctiques, c'est la femme qui fait la cuisine et qui prépare les plats traditionnels. Les enfants se rassemblent souvent autour du feu pour goûter à la soupe dans la marmite.

UN FERMIER SAMIT

Un gardien de rennes samit dresse une tente près d'un pâturage d'été. En Scandinavie, les Samits cultivent sur les rives des fjords. Sur ces côtes étroites et découpées, la terre est protégée des vents glacés, de sorte que le bétail et les moutons puissent paître. On entretient certaines prairies pour avoir du foin en hiver.

L'arrivée des Européens

Avant 1600, seule une poignée d'Européens connaissait l'Arctique. Par la suite, des explorateurs venus d'Angleterre, de France, de Hollande et de Russie sont arrivés en grand nombre pour chercher un passage dans le nord du Canada et de la Sibérie en direction de l'océan Pacifique. On appelait la route maritime au nord du Canada le « passage du Nord-Ouest », et celle au nord de la Sibérie le « passage du Nord-Est ». À partir de la fin du XVIe siècle, les Britanniques ont exploré la côte nord-est du Canada. Au XVIIIe siècle, les Russes ont dressé la carte de la Sibérie et visité l'Alaska en traversant le détroit de Béring.

Pour finir, les explorateurs européens n'ont pas réussi à trouver des routes maritimes à cause des eaux gelées de l'Arctique. Toutefois, ils revinrent avec un tas d'histoires de baleines et d'animaux marins. Des pêcheurs de baleines n'ont pas tardé à les suivre. Chaque printemps, des navires européens traversaient l'Atlantique Nord pour tuer des baleines. L'huile de baleine était une source de combustible pour les lampes en Europe. Ces créatures géantes étaient aussi tuées pour leurs fanons, appelés aussi « baleines ».

LES ATTAQUANTS DE L'ARCTIQUE
Cette ancienne illustration montre des Inuits se battant contre des explorateurs anglais conduits par le capitaine Martin Frobisher. Il dirigeait l'une des premières expéditions vers la terre de Baffin, dans le nord-est du Canada. Il y rencontra une forte opposition de la part des populations locales.

COMMANDO DE VIKINGS
Cette ancienne illustration montre des Vikings attaquant un campement inuit au Groenland. Les Vikings furent les premiers Européens à atteindre l'Arctique. En 983, un groupe de Vikings conduits par Erik le Rouge installa deux colonies au Groenland, qui survécurent jusqu'en 1500.

L'EXPÉDITION DE ROSS

Cette gravure représente les explorateurs anglais John Ross et William Parry rencontrant des Inuits dans le nord-ouest du Groenland en 1818. Une célèbre femme chamane avait prédit l'arrivée d'hommes étranges dans de grands bateaux portant des « voiles blanches ».

PRODUITS DE LA BALEINE

Les pays européens appréciaient beaucoup les baleines. On brûlait l'huile de blanc de baleine pour obtenir de la chaleur et faire du savon. L'huile de baleine entrait dans de nombreux aliments comme la glace et la margarine. Les fanons, robustes et souples, étaient transformés en différents produits, brosses, parapluies, corsets, cannes à pêche. Plusieurs espèces de baleines ont failli disparaître, c'est pourquoi la pêche à la baleine est interdite dans de nombreuses régions.

Savon

Margarine

APPRENDRE DES PEUPLES DE L'ARCTIQUE

En 1909, l'explorateur américain Robert Peary est le premier homme à atteindre le pôle Nord avec une équipe d'Inuits. Peary porte des raquettes et un costume inuit. Comme les Inuits, il utilise des chiens tirant des traîneaux. Plusieurs explorateurs européens sont morts dans l'Arctique, car ils n'avaient pas adopté les techniques de survie des populations locales. Par la suite, les expéditions ont beaucoup appris de l'expérience des gens de l'Arctique.

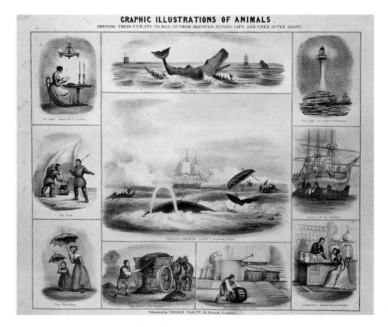

CORSET EN BALEINE

Cette image est extraite d'un catalogue de mode du début du XIXe siècle. Elle montre une femme portant un corset comme le voulait la mode. Les femmes portaient ce type de vêtement pour avoir une taille de guêpe. Le corset était renforcé de lames en os, appelées « baleines ». Elles provenaient des fanons qui se trouvent dans la bouche des baleines et qui lui servent à filtrer sa nourriture.

CHASSE À LA BALEINE

L'illustration au centre montre une chasse à la baleine au XIXe siècle. Des petits bateaux de chasse portent les harponneurs et s'approchent des baleines. Les baleines sont dépecées dans le gros navire. Les images sur le côté montrent les nombreuses utilisations de la baleine à cette époque.

TRAPPEURS ET MARCHANDS

L'industrie de la baleine explosa au XVIIIe siècle. Au siècle suivant, les Européens avaient massacré tant de baleines que ces grands mammifères marins étaient menacés d'extinction et que certaines populations de l'Arctique voyaient disparaître la source la plus importante de leur nourriture. Les colons européens ont ensuite cherché à exploiter les autres ressources de la région. Les marchands se sont rendu compte que la fourrure de la loutre de mer et du renard de l'Arctique se vendait très cher en Europe. Ils ont installé des comptoirs et commencé à acheter ces peaux aux chasseurs. Dans chaque région, le commerce des fourrures était contrôlé par le pays qui avait été le premier à l'avoir explorée. C'est ainsi que la Russie contrôlait le commerce en Alaska et que la Compagnie anglaise de la baie d'Hudson avait le monopole du commerce au Canada.

Les habitants de l'Arctique devinrent dépendants des Européens pour les armes et les objets en fer en général, et renoncèrent à leur vie de chasseurs. Ils ne piégeaient plus les animaux que pour vendre leurs peaux aux marchands. L'Arctique entra dans une période troublée avec des maladies inconnues jusque-là, telles la rougeole et la tuberculose, qui tuèrent des milliers d'hommes, de femmes et d'enfants.

FOURRURES À VENDRE

Les peaux des phoques et des renards polaires pendent dans ce magasin du nord-ouest du Groenland. Au cours du XIXe et au début du XXe siècle, la fourrure de loutre, de renard et de vison fut très prisée en Europe. Ce commerce rapporta beaucoup d'argent aux marchands européens.

UNE ALIMENTATION COMMODE

En 1823, on prépara cette boîte contenant du veau pour l'expédition de sir William Parry dans l'Arctique. Les explorateurs européens introduisirent des aliments et des produits nouveaux dans les populations de l'Arctique en les échangeant contre des fourrures. Les gens de l'Arctique finirent par préférer cette nourriture vendue par les marchands.

COMPTOIR COMMERCIAL

Cette gravure du début du XXe siècle montre un chasseur inuit chargeant son traîneau avec des marchandises européennes dans le Grand Nord canadien. Des comptoirs comme celui-ci avaient surgi dans toute la région au XIXe siècle. La Compagnie anglaise de la baie d'Hudson, installée depuis 1820, devint très riche en exploitant les ressources locales.

LES RAVAGES DE L'ALCOOL

Au XIXe et au XXe siècle, le whisky arriva dans le Grand Nord.

De même que les produits en métal, les marchands européens introduisirent des aliments nouveaux et des excitants tels le thé, le café, le sucre, l'alcool et le tabac. De nombreux habitants devinrent de grands consommateurs d'alcool, en particulier de whisky. Ils dépendaient d'autant plus des commerçants qui leur fournissaient l'alcool.

SOUVENIRS DE MARINS

Pendant les longues nuits arctiques les explorateurs, les marins et les marchands européens s'occupaient en gravant des dessins de bateaux, de baleines ou de sirènes sur des os de baleine ou des défenses de morse. On gravait d'abord un motif avec un couteau, un clou ou une aiguille. Puis l'artiste faisait apparaître les dessins en frottant de la suie qui se déposait dans les creux.

Suie

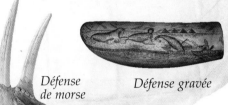

Défense de morse

Défense gravée

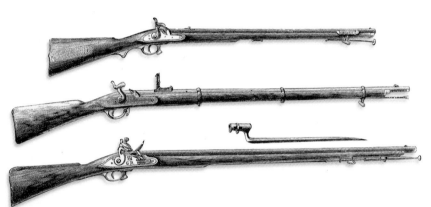

UNE ARME PUISSANTE

Cette gravure montre plusieurs fusils anglais des années 1840. Pendant les XIXe et XXe siècles, les armes à feu européennes transformèrent les méthodes traditionnelles de chasse. Les fusils étaient nettement plus efficaces que les arcs et les flèches d'autrefois et pouvaient toucher leur cible de bien plus loin.

MARCHANDISES À ÉCHANGER

Sur cette gravure, les chasseurs locaux négocient avec des Européens dans un magasin. Des centaines d'outils et d'armes en métal étaient troquées contre des peaux d'animaux. Les Européens troquaient également des fusils, des scies, des couteaux, des perceuses, des haches et des aiguilles. Les habitants de l'Arctique étaient à la merci des marchands européens et dépendaient d'eux.

VÊTEMENTS CHAUDS

Pour survivre dans les vents glacés et les tempêtes de neige, les gens avaient besoin de vêtements chauds et imperméables. Ils utilisaient des peaux d'animaux pour s'isoler du froid et portaient deux couches de vêtements. Une couche robuste avec la fourrure vers l'extérieur, et, dessous, des vêtements doux et chauds avec la fourrure tournée vers l'intérieur. La fourrure des sous-vêtements conservait une couche d'air chaud à la surface de la peau, ce qui maintenait le corps à une température constante. Seule une minuscule partie du corps restait exposée à l'air glacé. Les vêtements comprenaient un manteau à capuche en peau de renne, des pantalons en peau d'ours polaire et des bottes en peau de renne ou de phoque. Quand ils chassaient dans le *kayak*, les jeunes Inuits portaient souvent des *anoraks* (un mot inuit) étanches en fines bandes d'intestins de phoque cousues. Les sous-vêtements comprenaient des vestes en peau d'oiseaux de mer et des chaussettes en peau de renne.

MANTEAU DE FOURRURE

Cette fillette porte un *yagushka*, la veste traditionnelle des femmes nenets. Sa mère a utilisé des bandes noires en peau de renne pour décorer le vêtement. Des moufles et une capuche bordée de fourrure protègent l'enfant contre les vents glacés.

DES BOTTES FOURRÉES

Un berger samit double ses bottes en peau de renne avec de l'herbe séchée. Le foin procure un rembourrage doux et conserve une couche d'air pour protéger les pieds du berger contre le froid.

DES MOUFLES

Matériel : quatre morceaux de peau de chamois, marqueur noir, ciseaux, colle PVA, brosse à colle, règle, feutre bleu clair et rouge, stylo noir.

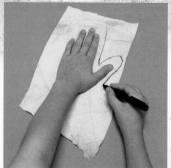

1 Dessine le contour de ta main sur un morceau de peau de chamois en laissant 1,5 cm d'espace. Tu auras besoin de deux morceaux de peau par gant.

2 Mets de la colle sur le pourtour du gant de droite et pose dessus le gant gauche. Recommence l'opération avec les deux autres formes. Laisse sécher.

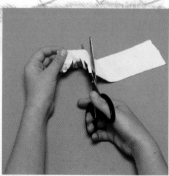

3 Découpe deux morceaux de peau de chamois d'environ 2 x 5 cm. Découpe une frange de 2 cm sur le bord de chaque morceau.

LA PRÉPARATION DES PEAUX

Cette femme mastique de la peau de phoque pour la ramollir. Elle se sert de ses dents de devant pour bien imprégner la peau de salive. Autrefois, les dents de devant des vieilles femmes étaient usées jusqu'à la gencive à force de mâcher les peaux. La peau d'un phoque moustachu servait à fabriquer des semelles parce qu'elle est étanche et que les poils s'accrochent bien à la glace.

MATÉRIEL DE COUTURE

Les femmes confectionnaient les vêtements de la famille. On taillait les aiguilles en os et en bois de renne, puis on les frottait sur une pierre pour les adoucir afin qu'elles ne déchirent pas les peaux des animaux. Les tendons de baleine ou de renne servaient de fils. Aujourd'hui, les femmes de l'Arctique utilisent des fines aiguilles en acier et du fil dentaire pour coudre. L'ouate de coton sert aujourd'hui à fourrer les bottes à la place de l'herbe.

Herbe

Ouate de coton   *Fil dentaire*

S'HABILLER DE PEAU

Les chasseurs inuits portaient des vestes chaudes telle cette parka, de même que des jambières en peau de renne et des bottes en *kanuk* (peau de phoque). Le chaud capuchon du vêtement préservait la chaleur du corps. La capuche était souvent bordée de peau de loup ou de carcajou (glouton), des animaux de la toundra.

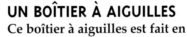

UN BOÎTIER À AIGUILLES

Ce boîtier à aiguilles est fait en os et en peau de renne. Les femmes samites le portaient à la ceinture. Les aiguilles qu'il contient sont en esquilles d'os, de défense de morse ou de bois de renne. Les aiguilles étaient très importantes pour les habitants de l'Arctique. Il fallait de longues heures pour fabriquer à la main des vêtements et de la literie, et il était souvent nécessaire de faire des reprises.

Les habitants de l'Arctique portaient des moufles pour garder les mains au chaud. Les moufles des enfants étaient souvent cousues à l'intérieur des manches des parkas pour les empêcher de les perdre. Certaines moufles étaient brodées de motifs décoratifs.

4 Mets de la colle sur le bord de la bande frangée. Place-la au-dessus du poignet d'une des moufles. Les franges doivent aller vers l'avant.

5 Dessine au marqueur noir six fleurs bleues de 5 cm de diamètre et six cercles rouges de 8 mm de diamètre. Découpe autour.

6 Colle un cercle rouge au centre de chaque fleur bleue. Recommence l'opération pour chacune des fleurs bleues et attends que la colle soit sèche.

7 Décore le dessus des moufles avec les fleurs. Découpe deux fleurs au milieu pour les poignets et dessine-leur une tige et des feuilles au stylo noir.

COSTUMES ET BIJOUX

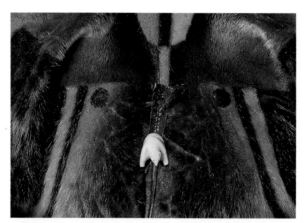

Les vêtements étaient souvent très beaux et très pratiques. Les bandes et les plaques de fourrure servaient à composer des motifs géométriques. Des bordures, des boutons et autres ornements complétaient les habits. Les bijoux comprenaient des pendentifs des colliers et des broches. Ces beaux ornements étaient fabriqués traditionnellement en matériaux naturels tels l'os et l'ivoire de morse.

En Amérique du Nord, les femmes inuites décoraient souvent leurs vêtements de becs d'oiseau, de plumes minuscules et même d'aiguilles de porc-épic. Au Groenland, des perles en dentelle et en verre étaient appréciées. Les vêtements des Samits étaient les plus colorés de l'Arctique. Les hommes, les femmes et les enfants portaient des vêtements bleus bordés de bleu et de rouge. Les costumes des hommes comprenaient de hautes coiffes et de courtes tuniques évasées. Ceux des femmes des jupes évasées aux ourlets brodés, des chapeaux, des châles et des écharpes multicolores.

COSTUME SAMIT

Un Samit porte le costume traditionnel de sa région, y compris la tunique ample bordée au cou, aux épaules, aux poignets et à l'ourlet d'un ruban de couleur vive. Ce type de tenue se portait toute l'année. En hiver, il enfilait par-dessus une épaisse parka appelée *peskes*.

BOUTON EN FORME D'OURS

Un gros bouton en ivoire de morse sculpté figurant un ours polaire complète cette veste en phoque. Les gens aimaient porter leurs habits et en étaient très fiers. Autrefois, les Inuits décoraient leurs vêtements de centaines de minuscules plumes ou de griffes de renard ou de lièvre. Les femmes décoraient souvent les vêtements de la famille.

UN CHAPEAU SAMIT

Matériel : feutre rouge (58 x 30 cm), colle PVA, brosse à colle, ruban noir (58 x 2 cm), ruban de couleur, feutre banc, règle, crayon, compas, carton rouge, ciseaux, ruban rouge, vert et blanc (trois de 44 x 4 cm), ruban rouge (58 x 4 cm).

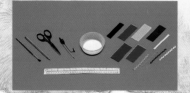

1 Indique le milieu du feutre rouge sur la longueur. Colle soigneusement le ruban noir sur la ligne médiane comme ci-dessus.

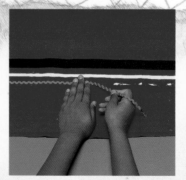

2 Continue de décorer le feutre avec des rubans de différentes couleurs et le feutre blanc en faisant une série de traits sur le feutre rouge, comme ci-dessus.

3 Découpe un cercle de carton rouge (18 cm de diamètre). À l'intérieur de ce cercle, dessine un cercle de 15 cm de diamètre et découpe ce dernier cercle.

BOTTE RECOURBÉE

Cette image montre une botte au bout recourbé portée par les Samits de Scandinavie. Ces bottes ornées de pompons sont conçues pour être utilisées avec des skis. Elles empêchaient le skieur de quitter ses skis quand il montait une pente.

PERLES ET DENTELLES

Une femme de l'ouest du Groenland porte le costume traditionnel décoré de perles, qui comprend un haut à large col et à poignets noirs et de hautes bottes en phoque. Après l'arrivée des Européens au Groenland, les perles de verre et la dentelle sont entrées dans la décoration des vêtements. Des centaines de perles cousues sur les vestes formaient des motifs complexes.

PARURE DE MARIAGE

Le marié, la mariée et une invitée samits dans le nord de la Norvège portent les habits traditionnels. Tu peux voir que le style des habits de l'homme est différent de celui montré sur la page ci-contre. Hommes et femmes portent des broches incrustées de disques de métal. Les vêtements de mariage des femmes samites comprennent de hauts chapeaux, des châles à pompons et des rubans.

Le style des chapeaux samits variait d'une région à l'autre. Dans le sud de la Norvège, le chapeau des hommes était haut et rond. Dans le nord, il avait quatre pointes.

4 Colle ensemble le bord du feutre rouge décoré comme ci-dessus. Il te faudra trouver la taille de ton tour de tête.

5 Replie les attaches découpées dans le cercle de carton rouge. Colle les onglets, puis replie le cercle de carton sur le feutre à l'intérieur d'une des extrémités du chapeau.

6 Pendant que le chapeau sèche, colle ensemble les bandes de ruban coloré. Colle ces bandes à 15 cm des bords du long ruban rouge de 58 cm.

7 Colle les bandes de 58 cm de ruban rouge à la base du chapeau en t'assurant que les morceaux les plus courts des rubans rouges, jaunes, verts et blancs passent par-dessus la bande.

L'ART ET L'ARTISANAT

Les populations de l'Arctique étaient des artistes accomplis. Outils, armes et ornements étaient faits à la main. D'une région à l'autre, les femmes et les hommes savaient sculpter, graver, coudre, travailler le cuir, faire de la vannerie, broder avec des perles et, dans certains cas, travailler le métal avec talent. Autrefois, les objets étaient pratiques et n'étaient pas considérés comme des œuvres d'art. Aujourd'hui, ornements et outils sont considérés comme des œuvres d'art et atteignent des prix élevés dans le monde entier.

La sculpture était l'un des arts les plus importants, mais les matériaux étaient rares. Les artistes gravaient des motifs sur l'os et l'ivoire.

Ils sculptaient l'os, la pierre, l'ivoire et le bois de renne pour en faire des outils. Les outils pour sculpter comprenaient des couteaux, des aiguilles et des forets. Certaines sculptures étaient polies à l'aide d'abrasifs naturels tels le sable, la pierre ou une peau d'animal rugueuse.

UNE BELLE SCULPTURE

Cette sculpture inuite en stéatite représente un chasseur et son harpon. Les sculptures montraient généralement des animaux et des oiseaux de la région, des scènes de la vie quotidienne et des personnages mythiques. Elles étaient faites au couteau et à l'aide d'aiguilles et de forets.

UNE FAMILLE D'ARTISTES

Cette photo prise en 1900 montre un chasseur inuit se servant d'un foret pour graver de l'ivoire. Sa femme confectionne une paire de *mukluks,* des bottes en peau de cerf. Aujourd'hui, les sculpteurs inuits se servent d'un outillage électrique, ainsi que de couteaux et de perceuses.

SCULPTURE INUITE

Matériel : savonnette (10 x 7 cm), stylo-feutre noir, lime à ongles en métal.

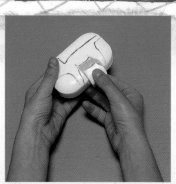

1 Lave-toi les mains pour ne pas salir le savon. Dessine la silhouette d'un chien sur la savonnette en utilisant le stylo-feutre.

2 Commence à sculpter en coupant les parties en trop tout autour du modèle. Fais attention à ne pas mettre la main derrière la lime.

3 Découpe les plus grands morceaux du savon d'abord comme ci-dessus. Fais attention que le savon ne s'effrite pas. Enlève les gros morceaux.

POTS EN PIERRE

On fabriquait parfois des pots et d'autres récipients en pierre à savon (stéatite). Cette pierre est assez tendre pour être sculptée et creusée. On se servait de couteaux pour la graver. Il fallait souvent faire de longs trajets pour trouver la pierre.

Pierre à savon

OUTILS GRAVÉS À LA MAIN

Cette tasse et ce couteau ont été sculptés par des artistes samits. La gaine du couteau est en bois de renne gravé et décoré d'un motif. Le manche est couvert de cuir. La tasse est sculptée dans du bois. On peut voir un petit morceau de bois de renne transformé en anse.

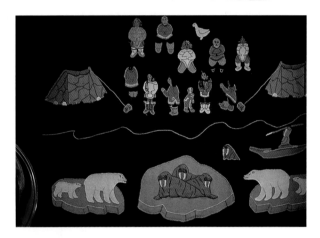

GRAVURE

Une artiste canadienne de l'île d'Holman met la dernière main à son œuvre en ajoutant une touche de peinture à travers un pochoir avec une petite brosse. La gravure est relativement nouvelle dans la région, mais beaucoup des sujets traités restent traditionnels.

BRODEUSES

Cette image est celle d'une tenture d'une église inuite du Canada. Les femmes de l'Arctique étaient des brodeuses de talent. Beaucoup de vêtements étaient considérés comme des œuvres d'art.

Dans l'Arctique, la sculpture est pratiquée depuis des milliers d'années. Armes, outils et ornements étaient sculptés dans des matériaux naturels tels l'os, l'ivoire, la pierre ou le bois flotté.

4 Taille le morceau le plus petit pour faire apparaître les détails. La silhouette du chien se dessine peu à peu. Continue de graver le savon avec délicatesse.

5 Dès que tu as découpé la forme générale de l'animal, lisse les bords rugueux. Pattes et queue sont particulièrement fragiles.

6 Continue à travailler les détails pour améliorer l'allure de ton chien en affinant les oreilles, les pattes, la queue, le ventre, le cou et le museau.

7 Pour finir, grave les traits plus fins de la tête comme la bouche et les yeux. Aplatis les pieds pour qu'il puisse se tenir sur ses pattes.

CROYANCES ET RITUELS

B ien avant l'arrivée des missionnaires, les populations de l'Arctique avaient élaboré leurs propres croyances. On pensait que tout être vivant avait son propre esprit, ou *inua*. Quand un animal mourait, son esprit continuait de vivre et renaissait dans une autre créature. La puissance des esprits contrôlait le monde de la nature, et les forces invisibles influençaient la vie quotidienne de chacun. On croyait que certains esprits étaient bien disposés envers les humains. D'autres étaient malveillants ou nuisibles. Les gens manifestaient leur respect envers certains esprits en obéissant à des tabous ou interdits. Si un tabou était brisé, les esprits pouvaient se mettre en colère. Les chamans, qui communiquaient avec le monde des esprits, jouaient un rôle particulier dans la communauté. Ils exécutaient des rituels pour favoriser la chasse, prédire le temps et les migrations des rennes, guérir les malades. Ils tenaient les rôles de médecin, de prêtre et de devin, parfois les trois ensemble.

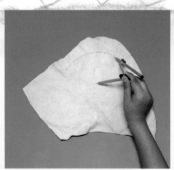

UN *TUPILAK* SCULPTÉ

Cette petite sculpture en ivoire du Groenland représente un monstre appelé *tupilak*. Les *tupilaks* étaient des esprits diaboliques. Si on voulait nuire à quelqu'un, on faisait secrètement une petite sculpture comme celle-ci, qui jouait le rôle d'un vrai *tupilak*. Son pouvoir néfaste était sans effet si la personne visée avait un pouvoir magique plus fort.

CHAMAN ET TAMBOUR

Une gravure du début du XVIIᵉ siècle montre une femme chaman de Sibérie. La plupart des chamans étaient des hommes, mais pas tous. Ils chantaient et tapaient sur un tambour spécial comme ci-dessus pour entrer en transe. Certains tambours étaient décorés de signes particuliers. Ils aidaient les chamans à prédire l'avenir.

TAMBOUR DE CHAMAN

Matériel : règle, ciseaux, carton, colle PVA, brosse à colle, papier cache, compas, crayon, peau de chamois, peinture marron, pinceau, verre d'eau, fil ou ficelle marron.

1 Découpe deux bandes de carton, chacune faisant 77 cm sur 3 cm. Colle les deux bandes ensemble pour donner plus de rigidité au carton.

2 Quand la colle a séché, prends le papier cache pour recouvrir les deux rebords du carton. Il faut que les bords soient aussi propres que possible.

3 Avec un compas, dessine un cercle de 24 cm de diamètre dans un morceau de peau de chamois. Découpe-le en laissant 2 cm sur le pourtour.

HERBES MÉDICINALES

Une Inuite cueille des sarracéniales, qu'elle utilisera comme herbe médicinale. Autrefois, les chamans étaient aussi guérisseurs.

Ils confectionnaient des remèdes pour essayer de guérir les malades. Ils entraient en transe pour communiquer avec les esprits et trouver l'origine du mal.

L'ESPRIT DE LA MER

Cette superbe sculpture inuite représente un esprit célèbre appelé Sedna. Les Inuits croient que Sedna contrôle les tempêtes et les êtres vivant dans la mer. Si on l'offense, elle n'accorde plus ses bienfaits et la chasse est mauvaise. Ici, Sedna est représentée avec une queue de sirène, accompagnée d'un narval et de deux phoques. Cette sculpture très délicate a été exécutée dans un bois de renne.

MASQUE MAGIQUE

Ce masque est originaire du Grand Nord américain. Il a été porté par des chamans inuits pour communiquer avec le monde des esprits. Les chamans portaient des masques en bois semblables à celui-ci. Ces masques avaient aussi des cheveux. Chaque masque représentait un esprit puissant. Le chaman chantait, dansait et jouait du tambour.

Les tambours des chamans étaient composés d'une peau de cerf tendue sur un cercle de bois. Les chamans dessinaient parfois des gens, des animaux et des étoiles sur leurs tambours.

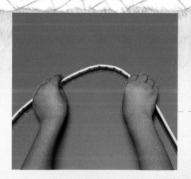

4 Avec les doigts, recourbe la bande de carton comme ci-dessus. Recourbe lentement le carton pour ne pas le casser.

5 Colle le carton sur le cercle. Demande à quelqu'un de t'aider à tenir la peau de chamois bien tendue. Fixe ensemble les extrémités du carton à l'aide du papier cache.

6 Fais des entailles tous les 3 cm sur le rebord de la peau de chamois en direction du carton comme ci-dessus. Fixe le rebord sur le cercle en carton avec de la colle.

7 Peins le carton avec de la peinture marron et laisse sécher. Décore le tambour avec un cordon marron que tu noueras sur le bord.

La longue nuit polaire

Dans l'Arctique, l'hiver dure de longs mois. Dans le Grand Nord, les populations vivent pratiquement pendant trois mois sans voir le soleil, qui reste longtemps au-dessous de l'horizon. Autrefois, au cours des longues journées et des nuits obscures, les gens restaient ensemble, groupés autour du feu pour avoir chaud. Les hommes ne sortaient que pour chasser, mais la tempête les obligeait souvent à rebrousser chemin. La famille restait ensemble, racontait des histoires, chantait, riait et faisait des blagues. Les personnes âgées parlaient des légendes et des mythes qui s'étaient transmis pendant des générations.

Ces histoires évoquaient l'existence du ciel et la manière dont les hommes et les animaux étaient arrivés dans l'Arctique. Les adultes faisaient de l'artisanat. Les hommes mettaient au point du matériel de chasse, tandis que les femmes reprisaient des vêtements. L'hiver était aussi le moment où l'on fabriquait des bracelets et des broches. Les enfants jouaient à des jeux traditionnels tel l'*ajagaq*.

UN CHANT SAMIT

Ce Samit chante un chant traditionnel appelé *joik* (prononcer yoik). Ces chants joyeux étaient improvisés, et le chanteur n'était pas accompagné par un instrument. Il racontait les événements de la journée avec des mots absurdes et des calembours.

CHANTS ET TAMBOURS

Quatre jeunes gens chantent au son du tambour un chant traditionnel des Territoires du Nord-Est canadien. La musique agrémentait les longues journées d'hiver. La famille chante et joue du tambour avec des baguettes en os ou en bois de renne.

FAIRE UNE BROCHE

Matériel : règle, compas, crayon, papier Canson, ciseaux, colle PVA, brosse à colle, papier d'aluminium, gros bouton, petit rouleau de papier collant, petit flacon de vernis à ongles, papier cache, épingle de sûreté.

1 En vérifiant avec la règle, trace au compas un cercle de 8 cm de diamètre sur le papier Canson. Dessine le cercle légèrement au crayon.

2 Découpe le cercle de 8 cm avec tes ciseaux. Quand tu utilises tes ciseaux, fais attention de ne pas diriger la pointe vers toi.

3 Fixe soigneusement avec la colle le gros bouton au centre du cercle. La pointe du compas t'indiquera le centre exact.

MYTHES ET LÉGENDES

Dans l'histoire illustrée ci-contre,
un jeune Inuit nommé Talivgak
a recours à la magie pour attraper
un phoque, alors que les chasseurs
de son village n'arrivent pas
à se procurer de la viande.
Pendant les longues journées d'hiver,
les enfants écoutaient les histoires
racontées par leurs parents
et leurs grands-parents.

Les Samits de
Laponie utilisaient
de belles broches
pour attacher
leur veste
ou leur châle.

LE TEMPS DE L'ARTISANAT

L'hiver est une bonne époque pour faire de l'artisanat et s'occuper
des équipements de chasse. Les hommes réparaient les filets de pêche
et les harpons, tandis que les femmes confectionnaient
de nouveaux vêtements et reprisaient ceux qui étaient abîmés.

4 Recouvre le devant
du carton et le bouton avec
du papier d'aluminium. Replie
le bord sur l'arrière du carton
et fixe-le avec de la colle.

5 Dessine l'intérieur du petit
rouleau de papier collant
sur un morceau de feuille
d'aluminium. Recommence
24 fois. Découpe les cercles du
papier d'aluminium.

6 Pose chaque cercle
de papier d'aluminium sur
le couvercle du flacon de vernis
à ongles et moule l'empreinte
du couvercle pour faire
24 petits cercles.

7 Colle les disques sur
la broche en commençant
vers le milieu et en allant vers
l'extérieur. Colle avec le papier
cache une épingle sur l'envers
de la broche pour l'accrocher.

TESTER SA FORCE
Deux jeunes Inuits cherchent à savoir lequel est le plus fort. Les adversaires tirent sur des manches en bois enveloppés de bandes de peau de phoque, comme ci-dessus. Parmi les autres compétitions figuraient des sports douloureux comme la lutte avec le doigt et tirer sur la joue.

DÉPOUILLER UN PHOQUE
Une femme inuite dépouille un phoque à une vitesse record lors d'un concours dans le nord-ouest du Canada. Les concurrents utilisent souvent leurs dents pour attraper la peau pendant que leurs mains tiennent l'*ulu*, le grand couteau à lame circulaire.

FESTIVITÉS ET CÉRÉMONIES

Les cérémonies étaient de grandes occasions. Quand quelqu'un mourait, on organisait une cérémonie pour l'honorer. Chez les Inuits, si quelqu'un mourait dans un igloo, on découpait un trou dans le mur pour sortir la personne, puis le corps était cousu dans un sac en peau et posé sur le sol, le visage orienté du côté du soleil levant. Pour finir, le corps était enterré sous un monticule de pierres. Les Tchouktches de Sibérie croyaient qu'après la mort l'esprit d'une personne partait vivre dans les campements du « royaume de l'Étoile polaire ».

Les gens étaient enterrés avec leurs biens les plus précieux. Une grande couturière pouvait être enterrée avec ses aiguilles, du fil et des dés à coudre. Un chasseur était enterré avec ses armes préférées.

Les gens se rassemblaient pour les fêtes marquant l'année arctique. Les cérémonies du tambour du printemps célébraient le retour de la lumière et la promesse de l'abondance. On se retrouvait pour festoyer, bavarder, danser et chanter. D'autres cérémonies rendaient grâces pour la chasse. Pendant les festivités, les gens montraient leur force et leurs talents. Les sports comprenaient le dépouillage des phoques, la lutte, les courses de chiens et de rennes et le jeu de la couverture ou trampoline.

COURSE DE RENNES
Un berger encourage son attelage pendant une course en Sibérie. Les courses de rennes et de chiens étaient traditionnelles dans les fêtes de l'Arctique, et elles le sont encore. Les chasseurs en profitent pour faire admirer leur équipage. On utilise des traîneaux légers pour que les animaux puissent aller plus vite.

CONCOURS DE LUTTE

Deux Nenets en compétition à la fête du printemps dans la péninsule de Yamal, en Sibérie. La lutte est un sport populaire dans bien des régions. Elle permet aux hommes de montrer leur force et leurs talents. Le gagnant doit mettre son adversaire à terre.

SAUT EN HAUTEUR

Cette image montre un saut effectué dans un gymnase moderne. C'est un sport inuit traditionnel. Les participants doivent taper dans le ballon tandis qu'une partie de leur corps reste en contact avec le sol. Autrefois, le ballon était une vessie de phoque dilatée accrochée à une cordelette en peau.

JEU DE LA COUVERTURE

Une gravure de Sibérie montre une famille jouant au jeu traditionnel de la couverture, ou trampoline. Garçons et filles sont lancés en l'air et rattrapés dans une couverture en peau. Les adultes maintiennent solidement la couverture à l'aide de cordes en peau cousues sur le bord.

COURSE DE TRAÎNEAU À CHIENS

Un équipage de huskies tire un traîneau à l'occasion d'une course en Finlande. Les courses à chiens étaient un sport très apprécié dans l'Arctique. Les propriétaires accordaient une grande valeur à leurs chiens, et une course pouvait rapporter gros.

LE DÉVELOPPEMENT DE L'ARCTIQUE

LA RECHERCHE DE L'OR
Une ancienne photographie montre un
prospecteur qui cherche de l'or dans un ruisseau
du Klondike en Alaska. En 1867, la Russie vendit
l'Alaska aux États-Unis. On découvrit de l'or
dans le Klondike à la fin du XIXe siècle,
et beaucoup de prospecteurs se ruèrent
sur la région pour y faire fortune.

Au cours du XIXe siècle, on a découvert de l'or dans
le Yukon et le Klondike, en Alaska, au-dessous
du cercle polaire. Une ruée vers l'or a commencé,
et des milliers de prospecteurs sont arrivés dans la région
en espérant faire fortune. Des missionnaires sont également
partis sur les traces de ces immigrants. Ils ont construit
des écoles et des églises et essayé de convertir
les populations locales au christianisme. Les modes de vie
traditionnels allaient disparaître à jamais. En 1900, tout
l'Arctique appartenait à des pays comme les États-Unis,
le Canada et la Russie, dont les capitales se trouvaient très
loin dans le sud. Le Groenland a été rattaché au Danemark,
et la Laponie divisée entre la Norvège, la Suède, la Finlande
et la Russie. Les gouvernements de ces pays se souciaient
peu des populations locales. Ils étaient plus intéressés
par les minerais et les autres richesses de l'Arctique.
Des postes de police furent mis en place, et les lois du Sud
furent imposées. Au cours de la Seconde Guerre mondiale
(1939-1945), les gouvernements s'intéressèrent surtout
à l'Arctique pour des raisons militaires. Ils édifièrent des
stations de radars qui devinrent peu à peu des petites villes.

MINE D'OR EN SIBÉRIE
Cette image montre une mine d'or
moderne près de la ville de Bilibino,
dans les montagnes de l'est
de la Sibérie. On découvrit de l'or en
Sibérie à peu près en même temps
qu'en Alaska. Les diamants,
le platine, le charbon et d'autres
minerais de grande valeur ont été
exploités dans l'Arctique russe.
L'exploitation des ressources
naturelles de la Sibérie a eu un effet
désastreux sur les populations locales.
Les nouvelles mines balafrent le pays
et empiètent sur les pâturages
des bergers sibériens.

LA RUSSIE COMMUNISTE

Cette image montre des travailleurs nenets pendant une migration de rennes au printemps. Après la révolution russe de 1917, l'Union soviétique fut créée et le système communiste imposé à la Sibérie. Les Nenets, les Tchouktches et d'autres peuples nomades furent constitués en brigades et envoyés travailler dans des fermes d'État et dans les usines. Les pâturages traditionnels des rennes furent donnés aux entreprises d'État.

BASES MILITAIRES

Cette photo montre une station de radars en Alaska. Après la Seconde Guerre mondiale, qui prit fin en 1945, une période d'hostilité appelée « guerre froide » s'ouvrit entre les États-Unis et l'Union soviétique. Les Américains construisirent une ligne de stations de radars à travers l'Arctique, et les Soviétiques firent de même. Ces stations attirèrent les populations.

VILLE MINIÈRE

Une photographie prise en 1898 montre des centaines de personnes assistant à l'ouverture d'un magasin à Dawson City, dans le Klondike. Comme les prospecteurs continuaient d'arriver, les cabanes des chercheurs d'or se transformèrent en petites villes comme Dawson City, avec des lois et des traditions étrangères à la région.

LE CHRISTIANISME DANS L'ARCTIQUE

Le doyen du nord du Groenland se tient à l'extérieur de l'église de Sion à Illulissat. Les missionnaires chrétiens arrivèrent en nombre croissant au XIXe et au XXe siècle. Ils s'opposèrent à l'action des chamans et sapèrent la croyance des gens dans le monde des esprits. Bien que le christianisme ait aidé à détruire les croyances et les coutumes traditionnelles, beaucoup d'habitants se convertirent, et le christianisme demeure aujourd'hui la religion la plus importante.

APPRENDRE ET CHANGER

Au milieu du XXe siècle, la vie des habitants a été bouleversée par la découverte des minerais et différentes activités. Toutefois, c'est la question de l'éducation des enfants qui a provoqué les plus grands changements. Dans le passé, les enfants apprenaient les techniques traditionnelles de leurs parents à la maison. Aujourd'hui, les gouvernements du Sud ont décidé que les enfants devaient recevoir une éducation officielle délivrée à l'école par des professeurs rémunérés.

En Amérique du Nord, garçons et filles ont commencé à aller à l'école dans les villes locales. Les parents sont allés s'y installer et, pour la première fois, se sont sédentarisés pour rester près de leurs enfants. En Sibérie et en Scandinavie, beaucoup d'enfants furent envoyés en pension loin de leurs parents. À l'école, les enfants apprenaient de nouvelles matières et grandissaient avec des valeurs culturelles très différentes de celles de leurs parents. Ils se détournaient de la chasse et de l'élevage des troupeaux, et beaucoup des techniques de l'Arctique se sont perdues.

LES VALEURS DU SUD

Deux garçons inuits jouent aux cow-boys avec des fusils en mâchoires de renne. Pendant la plus grande partie du XXe siècle, les enfants de l'Arctique ont plus appris de l'histoire et de la culture des États-Unis et de la Russie que de leur propre civilisation. C'est pourquoi les coutumes traditionnelles des peuples de l'Arctique se sont en partie perdues.

CONSTRUCTION D'UN *KAYAK*

Des femmes inuites enseignent à la jeune femme d'un chasseur à coudre la peau de phoque sur la charpente d'un *kayak* selon la technique traditionnelle. De nos jours, beaucoup de jeunes veulent apprendre des choses sur leurs ancêtres. Dans tout l'Arctique, on encourage les gens à faire revivre les techniques héritées de leur passé.

ALPHABET INUIT

Cette illustration montre le système d'alphabet utilisé par les Inuits. Il a été inventé par des missionnaires chrétiens. Les langues arctiques n'avaient jamais été écrites. Ici, chaque symbole représente un son plutôt qu'une simple lettre, ce qui rend plus difficile son utilisation.

LANGAGE ET ENSEIGNEMENT

Des enfants travaillent sur un ordinateur dans une école dans le nord du Canada. Les mots sur l'écran sont écrits en alphabet inuit. Pendant la plus grande partie du XXe siècle, les enfants ont appris leurs leçons en anglais, en suédois ou en russe. Quand ils sont retournés chez eux, ils avaient oublié une bonne partie de leur propre langue et avaient du mal à communiquer avec leurs parents.

RANDONNÉE DE CHASSE

Un jeune Inuit et son père dépouillent un renne tué lors d'une expédition de chasse. Pendant une bonne partie du XXe siècle, les techniques traditionnelles telles que la chasse, le dépeçage et la garde des animaux n'étaient plus considérées comme des activités importantes. Depuis peu, le système scolaire a été amélioré, et beaucoup d'élèves ont maintenant du temps pour partir à la chasse.

TECHNIQUES TRADITIONNELLES

Deux garçons inuits apprennent à construire un traîneau dans une école du nord-ouest du Groenland. Pendant longtemps, les techniques traditionnelles n'étaient pas enseignées dans les écoles. Depuis peu, les gens sont fiers de leur culture. La construction du traîneau et les leçons de couture font partie de l'enseignement.

L'Arctique aujourd'hui

Pendant la seconde moitié du XXᵉ siècle, l'exploitation minière s'est accélérée dans l'Arctique. En 1968, d'importants gisements de pétrole et de gaz ont été découverts à Prudhoe Bay, en Alaska. Leur exploitation a entraîné de la pollution et perturbé le genre de vie. En 1989, une marée noire géante provoquée par le naufrage de l'*Exxon Valdez* a pollué une vaste superficie des côtes de l'Alaska, tuant des milliers d'animaux. En 1986, la catastrophe nucléaire de Tchernobyl, en Ukraine, a laissé s'échapper des nuages radioactifs dont les radiations ont empoisonné les pâturages à rennes de Laponie. Cela a été un désastre pour les éleveurs samits.

À partir des années 1970, les peuples de l'Arctique ont commencé à s'organiser pour prendre en main le destin des régions où leurs ancêtres ont vécu et chassé durant des siècles. Plusieurs communautés ont revendiqué une autonomie territoriale. En 1990, les Inuits ont obtenu un vaste espace dans le nord du Canada, qu'ils ont baptisé Nunavut. Ils ont obtenu satisfaction en 1999. Aujourd'hui, les populations de l'Arctique sont fières de leur héritage et font revivre leurs traditions.

L'ANCIEN ET LE NOUVEAU

Un Samit conduit un scooter des neiges sur un lac glacé de Finlande. Autrefois, les pasteurs samits utilisaient les rennes pour tirer leurs traîneaux à travers les étendues glacées de l'Arctique. Pour les populations, le mode de vie actuel est un mélange entre l'ancien et le moderne. On adopte les nouvelles technologies du monde développé sans pour autant rejeter les traditions.

PIPE-LINE EN ALASKA

Serpentant sur des milliers de kilomètres à travers la toundra, le pipe-line Trans-Alaska apporte l'huile brute de Prudhoe Bay dans le nord de l'Alaska jusqu'au port de Valdez, qui n'est pas menacé par la banquise. Ici, le pétrole est chargé sur des pétroliers gigantesques et envoyé dans le monde entier. Malheureusement, le pipe-line traverse le territoire de chasse traditionnel des Inuits et la route de migration des caribous utilisée par les rennes depuis des milliers d'années. Le Trans-Alaska est un exemple de la manière dont le développement de l'industrie dans l'Arctique a perturbé le mode de vie traditionnel des populations locales.

MARÉE NOIRE

Un cormoran dont les plumes sont engluées par le pétrole du naufrage de l'*Exxon Valdez* gît sur la côte de l'Alaska. En 1989, le pétrolier *Exxon Valdez* heurta un récif au large de l'Alaska. Des milliers de tonnes de pétrole se répandirent dans la mer. Les côtes de la région ont été polluées par le pétrole, et des milliers de loutres de mer, d'oiseaux de mer et d'autres animaux en sont morts.

MANIFESTANTS

En 1979, des manifestants protestent contre des bulldozers qui préparent le site d'un nouveau barrage. Entre 1979 et 1981, les Samits organisèrent des manifestations contre un projet de barrage sur la rivière Alta en Norvège, mais ils ne furent pas écoutés. Les manifestations pacifiques ont un aspect essentiel de la démocratie.

NOTRE TERRE

En 1999, les Inuits et d'autres peuples de l'Arctique célébrèrent la restitution du territoire du Nunavut dans le nord du Canada. Le nom de Nunavut signifie « notre terre » en langue inuite. Le territoire est grand comme la Norvège. Les groupes de l'Arctique ont récupéré une partie des bénéfices effectués par les opérations minières et industrielles sur leurs territoires.

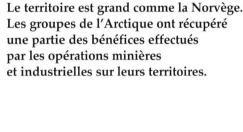

LE POUVOIR DU PEUPLE

Les jeunes qui vivent dans l'Arctique ont beaucoup à espérer de l'avenir. Les ordinateurs et les communications leur permettent de surmonter les problèmes de communication et de relation avec le reste du monde. Ils peuvent partager la fierté de leur culture et de leur environnement à travers Internet. Quand ce petit garçon sera grand, il sera citoyen du monde et pas seulement de l'Arctique.

GLOSSAIRE

A

Âge glaciaire : une des périodes de l'histoire de la Terre où de vastes régions étaient couvertes de glaces.

Ajagaq : ancien jeu de lances joué par les enfants de l'Arctique.

Amaut : poche dans le dos pour transporter les bébés et les jeunes enfants inuits.

Anorak : mot inuit signifiant veste extérieure.

Archéologue : scientifique qui étudie les vestiges du passé.

Arctique : région de l'extrême nord de la planète qui entoure le pôle Nord.

B

Baleine : mot donné aux fanons utilisés au XIXe siècle pour renforcer les corsets de femmes. Voir *fanon*.

Banquise : épaisse couche de glace qui recouvre la mer en hiver dans les régions arctiques.

Béluga : petite baleine blanche de l'Arctique.

Blanc de baleine : couche de graisse se trouvant sous la peau des phoques, des baleines et des morses.

Blizzard : vent fort qui souffle en même temps qu'une forte chute de neige.

C

Calotte glaciaire : épaisse masse de glace qui recouvre en permanence les régions polaires. Le Groenland a la plus importante calotte glaciaire de l'Arctique.

Carcajou : mammifère à fourrure qui ressemble à un petit ours et que l'on trouve dans les forêts du nord de l'Europe, de l'Asie et de l'Amérique du Nord.

Caribou : sorte de renne sauvage originaire de l'Arctique.

Cercle polaire : ligne imaginaire qui entoure la Terre à une latitude nord de 66° 33'. Toutes les régions à l'intérieur du cercle polaire connaissent au moins un jour où le Soleil ne se lève pas et un jour où il ne se couche pas.

Chaman : sorte de prêtre, devin et guérisseur qui entre en transe pour consulter les esprits.

Continent : vaste superficie de territoires délimités par des mers. Les différents continents sont l'Antarctique, l'Amérique du Nord et du Sud, l'Asie et l'Europe, l'Afrique et l'Australie.

D

Détroit de Béring : à l'époque préhistorique, la niveau de la mer avait baissé et l'on pouvait passer à pied de la Sibérie à l'Alaska.

E

Evenk : ancien peuple nomade de Sibérie orientale.

F

Fanon : plaque cornée qui pend à l'intérieur de la bouche de certaines baleines et qu'elles utilisent pour filtrer les petits animaux marins, le plancton.

Fjord : étroite et profonde crique côtière que l'on retrouve en Scandinavie où les montagnes tombent directement dans la mer.

Foret : outil servant à percer des trous. Le même principe associant une tige de bois frottant contre un plaque de bois servait autrefois à produire de la chaleur pour amorcer le feu.

Fronde : arme formée d'une cordelette à l'extrémité de laquelle une poche contient une pierre qui est lancée quand on la fait tourner. Lance-pierre.

G

Guerre froide : époque d'hostilités entre l'Ouest et l'Union soviétique. Elle a suivi la Seconde Guerre mondiale et s'est terminée à la fin des années 1980.

H

Harpon : arme en forme de lance avec une extrémité en crochet, attachée à une longue ligne que l'on utilise pour attraper les baleines et les phoques.

I

Iakoute : peuple chasseur de rennes du nord de la Sibérie.

Iceberg : énorme morceau de glace détaché des glaciers des régions arctiques et qui flotte sur la mer.

Iglou ou Igloo : mot inuit qui signifie maison. Souvent utilisé pour désigner les abris en glace des Inuits.

Inua : mot inuit qui signifie esprit.

Inuit : peuple de l'Arctique américain. Le mot *Inuit* signifie « les humains ».

Inuksuk : colonne en pierre érigée par les chasseurs inuits et servant à faire tomber les caribous dans une embuscade.

Ivoire : partie dure, lisse et blanche des défenses des éléphants et des morses.

J

Joik : chant samit improvisé qui rapporte les événements du jour.

K

Kakivak : propulseur inuit qui sert à lancer une lance pour attraper le poisson.

Kanik : bottes en peau de phoque.

Kayak : canoë inuit individuel qui se déplace à l'aide d'une pagaie à double lame. La structure en bois ou en os du bateau est couverte en peau de phoque.

L

Lapon *voir* **Samit.**

Latitude : distance d'un lieu par rapport à l'équateur au nord et au sud. L'équateur, qui partage la Terre en deux parties, est à la latitude 0°. Le pôle Nord est à 90° de latitude nord et le pôle Sud à 90° de latitude sud. La latitude et la longitude sont employées par les géographes pour calculer une position sur la Terre.

Lichen : organisme vivant qui pousse sur les rochers de l'Arctique et dont se nourrissent les rennes et les caribous.

Luge : petit traîneau individuel utilisé surtout par les enfants.

M

Mammifère : type d'animal à sang chaud comme l'être humain, la baleine, le chat ou la chauve-souris.

Migration : voyage saisonnier effectué par des gens ou des animaux pour trouver de la nourriture ou éviter des froids extrêmes.

Missionnaire : personne envoyée par une organisation religieuse dans un pays étranger pour faire un travail social et d'évangélisation.

Mukluk : bottes en peau de cerf.

Muktuk : couche nerveuse se trouvant juste sous la peau de la baleine et très appréciée dans l'Arctique.

N

Narval : petite baleine de l'Arctique.

Nenet : peuple éleveur de rennes de le Sibérie occidentale.

Nomade : personne qui se déplace et accompagne les troupeaux dans leur migration saisonnière pour trouver de la nourriture.

Nunavut : grand territoire inuit du nord du Canada établi en 1999.

P

Permafrost : sol gelé en permanence dans l'Arctique sur une profondeur qui peut atteindre 600 m. Le permafrost ne dégèle en été que sur quelques dizaines de centimètres.

Peske : épaisse parka en fourrure portée par les Samits.

Plancton : animaux minuscules qui vivent dans les couches supérieures de la mer et des lacs. Pôle Nord Point le plus au nord de la Terre.

Prospecteur ou chercheur d'or : personne qui recherche des minerais précieux comme l'or.

Pulkka : traîneau en forme de bateau utilisé en Sibérie et en Scandinavie.

S

Samit ou Saame : peuple de Laponie en Scandinavie.

Stallos monstres mangeurs d'hommes des légendes samites.

T

Taïga : ceinture de forêts dans l'extrême Nord, au sud de la toundra.

Tchouktche : peuple éleveur de rennes du nord-est de la Sibérie.

Tendon : tissu qui relie les os et les muscles d'un animal.

Toundra : plaine sans arbres dans le Grand Nord, couverte de neige et de glace en hiver, de marécages en été.

U

Ulu : couteau arrondi utilisé principalement par les femmes inuites pour découper l'animal et la viande.

Umiak : bateau découvert manœuvré par des rames utilisé pour chasser les baleines.

Y

Yagushka : veste traditionnelle portée par les femmes nenets.

INDEX